고토열도 기행

- 기독교왕국을 꿈꾼 사무라이 그 두번째 이야기 -

‘인간은 이토록 슬픈데,
주여, 바다는 너무 푸릅니다.’

– 엔도 슈샤쿠 ‘침묵의 비’에서

들어가며…

'고토렛토石島列島'라 불리는 오도열도는 일본 큐슈九州 최서단最西端에 위치한 낙도落島로, 크게 '카미고토上五島'라 불리는 '나카토리시마中通島'와 '시모고토下五島'라 불리는 '후쿠에시마福江島'를 중심으로 140여개의 유·무인도로 구성되어 있습니다. 이 책에서는 편의상 고토렛토를 '고토열도'라 부르기로 합니다. 나가사키시長崎市에서 서쪽으로 100km가량 떨어져 있으며 행정구역상 나가사키현長崎県에 속합니다.

어업과 농업이 주된 산업이며 관광업은 크게 발달하지 않았으나 대표적인 일본 기독교 성지답게 순례자의 발길은 끊이지 않습니다. 아름다운 풍광과 풍부한 어족 자원으로 관광객과 낚시객들이 찾기도 하지만 역시 많은 수의 입도객入島客은 성지 순례나 답사를 목적으로 오는 여행객입니다. 필자 역시 고토열도가 기독교 성지가 아니었다면 굳이 찾아갈 일이 없었을지도 모릅니다.

일본에 기독교 종교전쟁이 있었다는 역사적 사실에 관심을 가지고 전쟁의 현장과 성지를 찾아 다섯 차례 답사 여행을 다녀왔습니다. 그 기록을 정리하여 '기독교왕국을 꿈꾼 사무라이'라는 제목의 책으로 출간했습니다. 그 책에서는 나가사키현長崎県과 구마모토현熊本県에 산재해 있는 기독교의 성지들과, 시마바라島原, 아마쿠사天草 지역에 집중되어 있는 기독교 전쟁 '시마바라·아마쿠사의 난島原·天草の亂'의 현장 답사를 기록했습니다. 아쉽게 앞의 책에서는 일본의 기독교 성지 1번지라 불리는 고토열도를 미처 기술하기 못해 고토열도만을 별도로 구분하여 답사기를 쓰게 되었습니다.

7

1549년 스페인 출신의 프란치스코 자비에르Francisco Xavier.1506~1552신부의 가고시마鹿兒島 상륙으로 일본에 전파된 기독교는 전래→확산→금교→박해와 순교→잠복→부활의 역사를 가지고 있습니다. 에도시대江戶時代.1603~1868 포함 300년 넘게 벌어진 박해와 순교, 잠복은 일본만의 독자적인 기독교 문화를 발전시켰습니다. 이러한 일본만의 고유한 기독교 문화의 가치를 인정받은 나가사키현의 많은 지역은 유네스코 세계문화유산으로 등재되어 있습니다. 세계문화유산에는 열두곳이 중심이 되었는데 그중 네곳이 고토열도에 위치하고 있습니다. 그렇다면 이 낙도가 어떻게 일본 기독교 성지 1번지로 불리우게 되었을까요? 이 낙도에 교회와 키리시탄 (크리스천의 일본식 발음)이 왜 이리 많은 걸까요?

일본에서 교회가 가장 많은 지역, 가장 많은 키리시탄이 있는 지역이 고토열도입니다. 비공식적으로 30%라는 경이적인 기독교 신자율을 보이고 있는데 (공식적으로 2016년 카톨릭 기준 일본 0.3%, 나가사키현 4.4%, 고토열도 14.5%로 명시되어 있습니다. 30%라는 수치는 고토열도 답사 여행중 복수의 해설사로부터 들은 수치인데, 편차가 발생하는 이유는 조사 방법과 회답의 해석 때문일 것이라고 합니다) 1% 미만 수준으로 알려진 일본의 전체 기독교인 비율을 감안하면 실로 놀라운 수치가 아닐 수 없습니다.

에도시대 키리시탄에게 가해진 가혹한 박해가 고토열도를 기독교 성지화 시켰다해도 과언이 아닙니다. 토요토미 히데요시豊臣秀吉 시대인 1587년 이미 금교 조치를 받은 기독교는 도쿠가와 이에야스德川家康가 개국한 에도시대에 단순한 금교를 넘어 가혹한 탄압과 박해를 받게 되고, 처벌은 곧 사형으로 연결되었습니다. 박해를 피해 키리시탄은 키리시탄이 아닌 척하며 음지에서 기독교 신앙을 세습하며 유지했고, 일부는 아예 멀리 떨어진 낙도로 이주하여 그들만의 신앙 공동체를 이루며 살아갔습니다. 고토열도가 바로

8

그런 피난처의 대표적인 낙도입니다. 고토열도에서조차 키리시탄으로 적발
되면 처벌을 받았고 심한 경우 참수까지 당하기도 했습니다.

고토열도로 이주해 온 키리시탄은 정착하는 마을마다 교회를 세웠습니다.
나카토리시마中通島에만 40개가 넘는 교회가 생겨날 정도였습니다. 고토열도
에 있는 네곳의 유네스코 세계문화유산은 노자키시마野崎島의 노자키교회와
잠복 마을터, 나루시마奈留島의 에가미江上천주당과 잠복 마을터, 히사가시마
久賀島의 큐코린旧五輪천주당과 잠복 마을터, 그리고 카시라카시마頭ヶ島의 카
시라카천주당과 잠복 마을터입니다. 사세보佐世保에서 가까운 쿠로시마黑島의
쿠로시마교회黑島教會와 잠복 마을터까지 더하면 이 지역의 세계문화유산은
무려 다섯곳에 이릅니다.

※ 교회의 명칭은 표시된 공식 명칭을 그대로 따릅니다. 일반적으로 우리
　 나라에서는 개신교는 교회, 천주교는 성당이라 부르는데, 이번 답사에서
　 방문한 교회는 '교회', '카톨릭교회', '천주당' 등의 명칭으로 명명되고 있
　 어 자의성을 배제하고 공식 명칭 그대로 사용합니다. 일본에서 '교회'란
　 개신교 교회와 천주교 성당을 통칭합니다.
※ 사진은 필자가 직접 촬영한 사진을 활용했습니다. 다만 사진 상태에
　 따라 일부 현지에서 제공받은 자료의 사진을 차용했고, 사용된 사진의
　 출처는 기입했습니다.

고토열도五島列島는 이름 그대로 다섯개의 섬이 주를 이루고 있는 군도群島입니다. 남쪽부터 후쿠에시마福江島, 히사가시마久賀島, 나루시마奈留島, 와카마쓰시마若松島, 나카토리시마中通島 등 다섯개의 큰 섬을 중심으로 약 140개의 섬으로 구성되어 있습니다.

나루시마부터 남쪽을 시모고토下五島, 와카마츠시마부터 북쪽을 카미고토上五島라 부릅니다. 행정구역상 시모고토下五島는 나가사키현長崎県고토시五島市, 카미고토上五島는 나가사키현 미나미마츠우라군南松浦郡 신카미고토초新上五島町에 해당합니다.

열도 전체가 사이카이西海 해상 국립공원으로 지정되어 있습니다. (구글맵 제공 자료)

1부
일본에의 기독교 전래,
그리고 확산과 탄압

종교 갈등이 없는 나라 일본

일본은 한국과 마찬가지로 인종, 종교의 갈등이 거의 없는 나라라고 볼 수 있습니다. 한국에서도 기독교 전래 초기부터 정부, 일제, 공산당에 의해 박해와 순교가 있어 왔지만 일본은 더 일찍 16세기부터 기독교 탄압과 이에 따른 순교가 있었습니다.

일본 역사에 공식적으로 기록된 유일한 종교전쟁은 587년에 벌어진 '불교전쟁'입니다. 백제를 통해 들어온 불교는 일본 고유 종교인 신토神道와 충돌하며, 또한 권력 싸움을 하고 있던 불교 수용 지지파인 소가蘇我가문과 반대파인 모노노베物部가문 간 정치적 이해가 충돌하며 치열한 전쟁을 벌인 적이 있습니다. 전쟁은 수용파인 소가가문이 승리하여 일본은 신토와 더불어 불교 중심 국가가 됩니다.

그로부터 천년의 시간이 흐른 1637년 또다시 일본에 종교전쟁이 일어났습니다. 기독교전쟁입니다. 기독교전쟁의 성격은 종교전쟁이지만 공식적으로 '기독교 종교전쟁'이란 표현은 사용하지 않습니다. 기독교전쟁의 공식 표현은 '아마쿠사天草·시마바라島原의 난亂', 약칭 '시마바라의 난'이라 부릅니다.

일본에 처음으로 전래된 서양 종교는 카톨릭의 기독교입니다. '기독基督'이란 용어는 헬라어 '그리스도'를 기원으로 두고 있습니다. 중국에서는 '그리스도'를 '基利斯督기리사독'이라 표기했는데 중국어 발음으로 '지리시도'가 됩니다. '그리스도'를 최대한 비슷하게 발음하고자 한 것이고 이에 해당하는 한자를 이용하여 표기한 것입니다. 한자어 '기리사독'에서 첫 글자 '기'와 마지막 글자 '독'을 사용하여 '기독基督'이란 축약어를 만들고 마지막에 교

敎자를 붙여 '기독교基督敎'라 명명하게 되었습니다. 결국 기독교란 곧 '그리스도교'와 동일한 용어로, 카톨릭교와 개신교, 정교회와 성공회 등 모두를 아우르는 용어입니다. 현재 우리나라에서는 일반적으로 기독교는 개신교를 의미하는 단어로 사용되고 있습니다.

사실 글을 쓰며 가장 고민한 부분이 용어 선택의 문제였습니다. 일본에 처음 전래된 기독교는 카톨릭교입니다. 박해와 순교, 잠적, 부활 모두 카톨릭교에서 이루어졌습니다. 따라서 기독교란 용어를 카톨릭교나 천주교란 용어로 대체할지도 많이 고민했습니다. 하지만 일반적으로 통용되는 단어 '기독교'를 사용하기로 했습니다. 일본에서는 일반적으로 기독교基督敎란 용어 대신 키리스토쿄우キリスト敎라는 용어를 사용합니다. 위에서 언급한대로 이 용어는 카톨릭교와 개신교를 모두 포함합니다. '키리스토'는 그리스도, '키리시탄キリシタン'은 '크리스천'의 일본어 표기입니다. 키리시탄은 대게 일본 문자 가타카나片仮名를 사용하여 표기하는데 드물게 한자로 切支丹절지단이라 사용하는 경우도 있습니다. 일본어로 발음이 비슷한 한자漢字 切키리支시丹탄으로 쓰는데 한자의 뜻과는 상관이 없이 발음만 차용한 것입니다. 따라서 시마바라의 난을 기독교 반란, 또는 드물게 키리시탄의 난과 같은 용어는 사용해도 '카톨릭교의 난', '천주교의 난'과 같은 용어는 사용하지 않습니다. 종교에 관해 논할 때도 키리스토교를 먼저 말한 다음 카톨릭이나 프로테스탄트를 부언합니다. 이와 같은 배경으로 일본에서 보편적으로 통용되는 키리스토교', 즉 '기독교'라는 용어를 사용하기로 합니다. 일본에서의 기독교의 전래와 확산, 박해, 해금, 다시 금지의 흐름을 알아보고자 시도한 현지답사의 기록입니다.

일본에 카톨릭이 먼저 전해진 이유는?

1517년 루터Martin Luther,1483~1546의 '95개 의견서'로 촉발된 종교개혁으로 기독교는 구교(카톨릭교)와 신교(개신교)로 나뉘게 됩니다. 종교개혁으로 세력이 약화된 구교는 새로운 선교지를 찾아 나서게 되었고, 구교국인 포루투갈과 스페인을 중심으로한 이른바 '대항해시대大航海時代(15세기~17세기)'와 맞물리며 두 나라의 해외 진출은 전성기를 맞게 됩니다.

신교의 종교 개혁가들은 선교에 소홀했고 특별히 선교 단체나 조직을 만들지 않았습니다. 개혁의 후속 작업에 몰두하느라 선교는 우선 순위에서 뒤로 밀려 있었던 이유도 있지만 대표적인 종교개혁가중 한명인 칼빈Jean Calvin, 1509~1564의 예정론을 잘못 해석한 이유도 있었습니다. 하나님이 구원할 사람은 이미 정해져 있기 때문에 어차피 구원받을 사람은 구원받게 되어 있다는 것입니다. 그래서 선교가 굳이 필요하지 않다며 칼빈의 의도와는 전혀 다르게 해석했습니다.

오히려 개혁의 대상이 된 카톨릭은 조직적으로 더욱 선교사 파견에 심혈을 기울였습니다. 바로 이 시기 로마 카톨릭의 예수회The Society of Jesus 소속의 스페인 출신 신부 프란치스코 자비에르Francisco Xavier,1506~1552가 1549년 일본 큐슈九州 최남단 가고시마鹿兒島에 첫발을 내딛으며 일본의 기독교 역사가 시작됩니다. 예수회는 선교에 열정을 가진 카톨릭 조직으로, 설립자 로욜라 Ignatius de Loyola,1491~1556가 사망한 1556년에 이미 4개 대륙에 선교사를 파견한 상태였습니다.

자비에르도 예수회에 소속된 일원으로 인도와 중국, 그리고 말레이지아 등

14

아시아 대륙에서 활동하는 선교사가 되어 있었습니다. 자비에르의 일본 상륙후 서양 선교사의 일본 진출이 활발해져 전국시대 말기부터에서 에도시대1603~1868까지 일본에 파견된 선교사 수는 모두 121명에 달합니다. 이렇게 16세기부터 일본에 전래된 기독교는 구교국 스페인과 포루투갈의 영향으로 자연스럽게 카톨릭교가 되었습니다. 개신교는 1854년 미국에 의해 일본이 개방되면서 주로 미국의 선교사들에 의해 선교가 이루어졌습니다. 한편 16세기부터 일본과 네덜란드는 무역이라는 상호 이해 관계로 선린 관계가 유지되고 있었습니다만 신교 국가였던 네덜란드는 선교보다 무역을 우선시하여 선교에는 별다른 관심이 없었습니다.

스페인과 포루투갈은 해외 진출시 선교사는 물론 학문, 의술, 과학, 기술과 함께 근대식 무기도 같이 보냈는데, 마침 일본은 군웅할거群雄割據의 전국시대戰國時代(도쿠가와 이에야스德川家康1543~1616가 1603년 에도江戸(현재의 도쿄東京)에 중앙 정부 막부幕府를 수립할 때까지 약 100년간의 시대)였던 관계로 유력 다이묘大名 간 치열한 전쟁이 끊이지 않고 있었습니다. 다이묘는 영주領主로 이들은 전쟁을 승리로 이끌 수 있는 전략, 전술, 무기가 절실했던 상황이어서 서양에서 전래된 신무기는 대단히 매력적인 병기였습니다. 일본에 서양 무기가 처음 소개된 시기는 1543년입니다. 한척의 포루투갈 상선이 가고시마 앞바다의 섬 타네가시마種子島에 도착하여 철포鐵砲를 소개했고 타네가시마 영주는 거금을 주고 3정을 구입했습니다. 1정은 분해해서 똑같은 철포를 만드는데 사용했고 1정은 정치 중심지 기슈紀州의 장군에게 보냈으며, 1정은 보관했는데 이 철포는 아직까지 타네가시마 박물관에 보관되어 있습니다. 그래서 오다 노부나가織田信長1534~1582시대에는 전력 강화에 도움을 준, 근대식 무기를 전수해 준 서양에 대한 거부감이 적었고, 따라서 기독교와 서양 선교사들을 금지하지도, 탄압하지도 않았습니다.

자비에르의 일본에서의 활약

자비에르는 일찍부터 아시아 지역에서 활동하던 선교사로 일본까지 진출하여 카톨릭 포교에 매진했습니다. 자비에르의 초기 선교관은 기독교 제국주의적 성격으로, 기독교는 다른 이교도들과 절대 공존할 수 없다는 배타적인 종교관이었습니다. 또한 당시의 유럽 카톨릭 교계는 유럽이 아시아를 가르쳐 주어야 한다는 일종의 우월 의식도 자리잡고 있어 파견된 선교사들조차도 아시아의 기존 관습을 바꾸려는 의지를 가지고 있었습니다. 하지만 자비에르는 아시아에서 활동하면서 현지 사정에 대한 이해의 폭을 넓혀 갔고, 점차 그 지역의 전통, 관습, 문화와 타협하여 절충점을 찾아야 한다는 결론에 도달했습니다.

자비에르의 포용적 선교 활동은 오다 노부나가 중심의 일본 정치 상황과 맞물려 진출 초기의 선교는 순조로웠습니다. 1549년 일본에 작은 첫 발을 내딛으며 시작된 그의 열정적 선교 활동은 짧은 시간에 큰 성과를 내게 됩니다. 큐슈의 가고시마와 나가사키, 혼슈本州의 야마구치山口 등 일본 서부지역을 중심으로 활동 영역을 넓혀가며 많은 일본인에게 기독교를 전했습니다.

큐슈 북서 해안의 히라도平戸는 그가 3번 방문하며 선교의 거점으로 삼은 곳입니다. 히라도는 나가사키보다 더 일찍 유럽의 상관들이 설치된 곳으로 유럽과의 교류가 활발했던 지역입니다. 그의 전도 활동으로 히라도의 기독교인은 급속히 증가했고, 1550년 그의 히라도 방문을 기념하기 위해 최초의 자비에르 기념교회가 세워졌습니다. 최초의 교회는 없어졌지만 후신인 지금

의 '카톨릭 히라도 자비에르교회ヵトリック平戸ザビエル敎會'가 1931년에 세워졌습니다.

자비에르가 일본 선교의 교두보로 삼은 나가사키 지역은 1600년경 기독교 신자가 무려 30만명에 이르렀습니다. 수백개의 집회소가 세워졌으며 일본 현지 목회자를 양성하기 위한 교육기관까지 세워졌습니다. 자비에르의 일본 진출로부터 짧게는 50년, 길게는 100년 가까이 일본에서 기독교는 세를 크게 확장시켰습니다. 예수회 본부는 일본에서의 순조로운 선교 활동에 고무되어 1600년대 중반을 넘어서면 일본은 완전히 기독교 국가가 될 것으로 확신하고 있었습니다.

하지만 기독교가 온전히 정착되기도 전에 에도막부에 의해 공식 금교화 되고 탄압과 박해가 잇따르며 확장세는 크게 꺾이게 됩니다. 전국시대 말기부터 시작된 기독교 탄압은 에도시대를 포함한 300년 내내 이루어져 이 기간 동안 처형된 기독교인은 40만명이 넘는다는 기록이 있습니다. 300년은 1587년 토요토미 히데요시豊臣秀吉,1536~1598에 의해 내려진 기독교 금교령에서부터 메이지정부에 의해 폐지된 1873년 전후까지의 기간입니다. 가혹한 탄압의 시대에도 기독교는 비밀리에 세습되어 이른바 '잠복 키리시탄', '은신 키리시탄'이 나타나게 됩니다.

한편 초기 기독교에서는 교인들의 모임도 활발히 이루어졌습니다. 이 교회 공동체는 후일 금교禁敎시대에도 비밀리에 꿋꿋이 신앙을 계승하게 되는 기독교 공동체의 모태가 되고, 이는 결국 시마바라의 난의 토양이 됩니다.

자비에르는 일본에서의 선교 활동이 안정화되자 다시 중국으로 갔다가 연안延安에서 1552년 46세의 나이에 풍토병으로 선종善終합니다. 중국은 그의 마지막 선교지가 되었습니다.

일본 기독교 선교의 선구자 프란시스코 자비에르 (1506~1552).
'하비에르', '사비에르'라고도 발음하며, 성자로 추대된 스페인 출
신 선교사입니다. 이 그림은 가장 널리 알려진 초상상화로 고베神
戸 시립박물관에 소장되어 있습니다.
아래는 자비에르의 초상과 기념비. (히라도시 제공 자료)

히라도市 성 자비에르 기념교회 영내에 있는 자비에르 석상과 동판.

인도에 파견되어 선교 활동중 일본인 야지로우를 만나 그에게 세례를 주고 일본 선교를 결심한 뒤 야지로우와 함께 1549년 가고시마에 첫 발을 내딛습니다. 야지로우는 안지로라고도 불리며 가고시마에서 살인을 저지르고 탈출, 동남아에서 무역을 했던 것으로 전해집니다.

자비에르는 일본 상륙 이전에 이미 야지로우로부터 일본 사정에 대해 듣고 있었습니다. 야지로우의 도움으로 일본어로 된 선교 자료를 만들었고 교재와 교리도 일본향으로 만들어 두었습니다. 결국 자비에르의 일본 선교가 연착륙을 하게 된 것은 야지로우의 공이 크다고 볼 수 있습니다.

프란시스코 사비에르의 생애와 족적

(히라도시 제공 자료)

19

금교의 시작

일본의 관문이었던 큐슈 서부 해안지역을 중심으로 기독교 세력이 확대됨에 따라 오다 노부나가織田信長1534~1582는 용인을, 토요토미 히데요시豐臣秀賴1536~1598는 용인후 금교를, 도쿠가와 이에야스德川家康1543~1616는 금교를 하게 됩니다. 자주 회자되는 이 세 사람을 '전국시대의 삼영걸三英傑'이라 부릅니다.

전국시대의 풍운아 오다는 호기심이 왕성한 인물로 서양식 무기에 관심이 많아 서양과의 무역을 허가하고 무기를 전래해준 서양인을 수용하고 선교사의 선교 활동도 용인했습니다. 전술한 타네가시마로부터 철포 500정을 주문, 구입하고 별도의 철포군을 육성하기도 했습니다.

오다의 뒤를 이은 토요토미는 집권 초기 오다의 정책을 이어 기독교를 용인했지만 선교사들이 점차 정치에 관심을 갖고 정책에 관여할 조짐을 보이자 기독교 금지로 급선회했습니다. 선교사 추방령인 '반텐렌伴天連 추방령' 역시 바로 토요토미 시대인 1587년에 시행되었습니다. 반텐렌이란 포루투갈어의 한자 조어로 선교사라는 뜻입니다. 기독교 전도를 금하고 탄압도 가했습니다.

토요토미에 이어 정권을 잡고 1603년 에도시대를 개막시킨 도쿠가와는 금교를 넘어 잔혹한 탄압과 박해를 가했습니다. 1613년 2대 쇼군 도쿠가와 히데타다德川秀忠는 공식적으로 금교 정책을 시행했고, 3대 쇼군 도쿠가와 이에미치德川家道 시대인 1637년에 발발한 시마바라의 난으로 탄압 정책은 더욱 강화되었습니다. 탄압의 이유는 기독교가 일본 고유 종교인 신토神道, 그리고 이미 굳건한 종교로 자리잡은 불교와의 충돌이 큰 원인이지만, 엄격한 신분 사회였던 에도시대에 하나님 아래 만인은 평등하다는 기독교 사상은 막부로서는 도저히 받아들일 수 없는 교리였습니다. 이런 사상은 막부에의 복종심을 약화시킬수도 있다는 위기감을 크게 작용시켰습니다.

여기에 경제적 이해 관계도 작용했습니다. 서양과의 무역은 막부의 재정에 도움은 되었지만 서양 종교인 기독교를 필수적으로 동반하는 형태의 무역이었습니다. 막부는 무역은 용인했으나 기독교 유입은 절대 용인하지 않았습니다. 무역과 기독교 용인의 갈림길에서 에도막부가 택한 정책은 무역을 포기할지언정 기독교 용인만은 절대로 받아들일 수 없다는 것이었습니다. 에도시대 내내 쇄국정책을 고수했습니다. 이 틈새를 공략한 국가가 기독교 선교에는 별 관심이 없고 무역에만 치중한 네덜란드였습니다. 제한적이기는 했지만 에도시대 일본이 유럽 사정을 파악할 수 있는 유일한 창구가 네덜란드였습니다. 이 시기 활동한 네덜란드 무역상들은 네덜란드 국토에서 가장 넓은 면적을 지닌 홀랜드holland지역 출신들이어서 일본은 네덜란드를 오란다オランダ로 부르게 되었습니다. 한자로 화란和蘭으로 썼고, 네덜란드 학문으로 대표되는 서양 학문을 난학蘭學이라고 했습니다.

용인

용인 → 금지

금지

가혹한 박해가 부른 기독교인의 항쟁

최초의 기독교 금교 조치는 1587년 토요토미 히데요시에 의해 발효되었습니다. 토요토미는 기독교로의 개종을 범죄로 간주했습니다. 즉각 서양 선교사를 추방시켰습니다. 다만 금교의 지역적 범위는 교토를 중심으로한 정치 중심 지역이어서 일본내 타지역으로 피신하는 일시적 방편은 가능했습니다. 하지만 1603년 도쿠가와 이에야스가 출범시킨 에도막부는 1613년 국가 정책으로 기독교를 공식적으로 금지시키고 적용 범위를 전국으로 확대했습니다. 토요토미 시대에 시작된 금교 조치가 도쿠가와 시대에 공식 정책화되어 더욱 가혹해지며 단순 금교를 떠나 박해로 이어진 것입니다.

이와 같이 탄압의 서슬이 시퍼렇던 시대에도 기독교 신자수는 좀처럼 줄어들지 않아 1605년에는 75만명이 넘는 키리시탄이 있었다는 기록이 있습니다. 에도시대 초기 키리시탄에 대한 잔혹한 고문이 행해지고, 이로 인해 수많은 순교자가 발생하게 됩니다. 박해를 피하고자 지하로 숨어들어 낙도로 이주하거나, 마을에 평범하게 거주하며 키리시탄이 아닌 것처럼 행세하면서 집안에서 몰래 기독교 신앙을 유지하며 대를 이어 세습하는 일이 발생했습니다.

기독교는 주로 평민들을 중심으로 퍼져 나갔지만 점차 신분이나 지위 고하를 막론하고 광범위하게 퍼져 나갔습니다. 어떤 지역에서는 반대로 영주가 가장 먼저 키리시탄이 되면서 부하와 영내 백성들에게 기독교로의 개종을 강요하기도 하는 일까지 벌어지기도 했습니다. 세례를 받는 다이묘도 이어져 나가사키 오무라大村 지역의 다이묘 오무라 스미타다大村純忠는 1563년 다이묘로서 최초로 세례를 받게 됩니다. 카토 키요마사加藤淸正와 함께 임진왜란의 적장으로 유명한 고니시 유키나가小西行長는 가장 널리 알려진 키리시탄 다이묘였습니다.

가혹한 탄압을 이기지 못하고 키리시탄이 힘을 합하여 에도막부와 일대 결전을 벌이게 되는데 이 전쟁이 바로 '시마바라의 난'입니다. 전쟁에는 농민이 다수를 차지했지만 신분 고하를 막론하고 참여했습니다. 방문했던 아리마 키리시탄유산기념관에는 '지배 계급을 포함하여 에도시대 최대 규모의 백성이 봉기군에 가담했으니 단순한 반란을 떠나 기독교 종교전쟁이었다'라고 기술되어 있습니다. 이 곳 외에도 방문한 여러 곳의 자료관에 '시마바라의 난은 기독교전쟁이었다'라고 표현한 곳이 많았습니다.

물론 시마바라의 난 발생 원인이 키리시탄 탄압이라는 단일 원인에서 기인한 것은 아닙니다. 가혹한 세금, 기근과 아사 등의 이유도 함께 작용했습니다. 키리시탄 봉기군의 요구는 완전한 종교의 자유, 이를 넘어서 심지어 기독교 국가로서의 독립까지 요구한 충격적인 것이었습니다. 당연히 막부로서는 도저히 용납할 수 없는 요구였습니다.

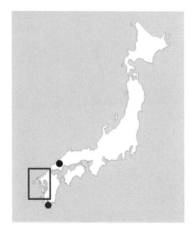

나가사키, 쿠마모토, 가고시마 지역은 남부의 서단에 위치하여 일찍부터 외국과의 접촉이 빈번했습니다.

빨간색 박스는 기독교 전파와 순교가 집중적으로 일어난 지역, 빨간 점은 자비에르가 첫 발을 디딘 가고시마, 파란 점은 박해로 쫓겨간 키리시탄의 이주지 츠와노입니다.

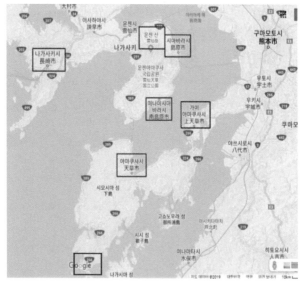

순교지와 시마바라의 난 주요 지역입니다. 나가사키와 운젠에서는 많은 순교자가 나왔고, 시마바라, 미나미시마바라에서는 정부군과 봉기군 사이에 치열한 전투가 벌어졌습니다.

잠복 키리시탄과 은신 키리시탄

시마바라의 난이 정부군의 승리로 끝나자 키리시탄은 음지로 숨어들어 비밀리에 신앙을 유지하게 됩니다. 박해를 피해 숨어 지내며, 또는 위장하여 지내면서 신앙을 유지하고 세습하는 키리시탄이 된 것입니다. 이러한 기독교인을 통칭하여 잠복潛伏(せんぷく.센푸쿠) 키리시탄이라 부릅니다. 말 그대로 숨어서 드러내지 않는다는 의미입니다. 은신隱身(隠れ.かくれ.카쿠레) 키리시탄으로 부르기도 하는데, 카쿠레 역시 숨는다는 의미입니다.

일반적으로 '잠복'과 '은신' 두 용어는 동일한 의미로 혼용하여 사용되고 있지만 일본 기독교계에서는 엄격히 구분하여 사용하고 있습니다. 잠복 키리시탄은 금교령 철폐 이후 키리시탄임을 밝히며 교회로 돌아와 교회를 중심으로 신앙 생활을 이어간 키리시탄을 의미하며, 은신 키리시탄은 금교령 철폐 이후에도 교회로 돌아가지 않고 집에서 은신 시대 신앙 형태를 그대로 유지한 키리시탄을 의미합니다. 결국 잠복과 은신의 구분은 금교령 철폐 이후 붙여진 구분의 명칭이라고 볼 수 있습니다.

기독교의 해금은 메이지유신(1868년) 이후인 1873년 금교 철폐령이 내려지면서 비로서 이루어졌고, 1889년 공표된 헌법은 종교의 자유를 보장했습니다. 금교 철폐령은 메이지정부의 자발적 조치가 아니라 '일본이 구미 제국과 동일 수준의 문명국으로 대우받고 싶다면 기독교 금지를 폐지하고 종교의 자유를 보장하라'는 서구 열강의 요구로 이루어진 조치입니다.

금교 철폐령으로 300년 동안 음지에 숨어있던 키리시탄이 양지로 나오자 키리시탄의 맥이 끊긴 줄 알았던 메이지정부는 상당히 놀랐다고 합니다. 이

같은 배경을 지닌 일본의 기독교 역사는 '전래 → 확산 → 금교와 탄압 →
잠복 → 해금과 부활'의 순서로 전개되어 왔습니다.

잠복 키리시탄 마을인 나가사키 시츠마을과 잠복 키리시탄의
집 내부
(히라도시 제공 자료)

난도가미. '벽장속의 하나님'이란 뜻입니다.
금교의 시대 잠복 키리시탄은 비밀리에 집의 벽장에 마리아상,
십자가 등의 성물을 보관하고 그곳에서, 또는 그곳을 향해서
집에서 예배를 드렸습니다.
(히라도시 제공 자료)

성지를 답사하다

이러한 배경을 지닌 일본 기독교의 성지를 답사했습니다. 성지를 직접 찾아가 현지에서 보고 들으며 일본 기독교 수난의 역사를 살펴보고 이를 통해 일본을 알아보고자 했습니다. 일본의 성지는 크게 순교지(박해의 현장), 교회(건축물), 기독교전쟁의 흔적(전쟁터, 유물) 등으로 나누어 볼 수 있으며, 이들 지역은 주로 나가사키현과 쿠마모토현에 걸쳐 있습니다. 일본은 이들 지역에 산재되어 있는 성지중 12곳을 선정하여 유네스코 세계문화유산 등재를 추진했고 유네스코는 일본만의 독자적인 기독교 역사와 문화, 자산으로서의 가치를 인정하여 세계문화유산으로 등재시켰습니다. 다섯번에 걸친 성지 답사는 이 12곳을 중심으로 이루어졌습니다. 12곳의 명칭과 위치를 다음과 같이 정리해 보았습니다. 아마쿠사는 쿠마모토현이고 나머지 11곳은 나가사키현입니다

나가사키市　　　(3곳)　: 오우라천주당, 시츠교회/마을, 오노교회/마을
사세보市　　　　(1곳)　: 쿠로시마교회/마을
히라도市　　　　(2곳)　: 나카에노시마, 카스가마을과 야스만산
미나미시마바라市 (1곳) : 하라성터
아마쿠사市　　　(1곳) : 사키츠교회/마을
고토열도　　　　(4곳)　: 노쿠비교회와 노자키마을, 에가미교회/마을,
　　　　　　　　　　　　구쿄린교회와 히사가시마마을, 카시라가시마교회/마을

	명칭	위치	의의
1	하라성터 原城跡 (하라죠우아토)	나가사키현 미나미시마바라市	아마쿠사 시마바라의 난 최후의 결전지
2	히라도의 성지와 마을 平戶と集落 (春日集落と安滿丘) (카스가슈우라쿠토야스만다케)	나가사키현 히라도市	잠복, 은신 키리시탄 집단 거주 마을 교회군 (타비라성당, 성자비에르교회_등)
3	히라도의 성지와 마을 中江ノ島 (나카에노시마)	나가사키현 히라도市	키리시탄 순교지
4	아마쿠사의 사키츠마을 天草の﨑津集落 (아마쿠사노사키츠슈우라쿠)	쿠마모토현 아마쿠사市	잠복, 은신 키리시탄 집단 거주 마을 교회군 (사키츠성당, 오에성당)
5	소토메의 시츠마을 外海の出津集落 (소토메노시츠슈우라쿠)	나가사키현 나가사키市	잠복, 은신 키리시탄 집단 거주 마을 시츠교회
6	소토메의 오노마을 外海の 人野集落 (소토메노오노슈우라쿠)	나가사키현 나가사키市	잠복, 은신 키리시탄 집단 거주 마을 오노교회
7	쿠로시마의 마을 黑島の集落 (쿠로시마노슈우라쿠)	나가사키현 사세보市	잠복, 은신 키리시탄 집단 거주 마을 쿠로시마교회
8	노자키의 마을터 野﨑の集落跡 (노자키노슈우라쿠아토)	나가사키현 고토市	잠복, 은신 키리시탄 집단 거주 마을 노자키교회
9	카시라시마의 마을 頭島の集落 (카시라시마노슈우라쿠)	나가사키현 고토市	잠복, 은신 키리시탄 집단 거주 마을 카시라가천주당
10	히사가시마의 마을 久賀島の集落 (하사가시마노슈우라쿠)	나가사키현 고토시	잠복, 은신 키리시탄 집단 거주 마을 큐코린교회
11	나루시마의 에가미마을 奈留島の江上集落 (나루시마노에가미슈우라쿠)	나가사키현 고토시	잠복, 은신 키리시탄 집단거주 마을 에가미천주당
12	오우라 천주당 大浦天主堂 (오우라텐슈도)	나가사키현 나가사키시	일본 국보 신도발견 장소, 나가사키 기독교의 상징성

28

히라도의 성지와 취락 (나카에노시마 산) ●
히라노의 성지와 취락 ●
(기스가 취락과 야스만다케 산)

노자키지마 섬의 취락터 ●
구로시마 섬의 취락 ●

● 가시라기 시마 섬의 취락

나루시마 섬의 에가미 취락
(에가미 천주당과 그 주변)
●

소토메의 오노 취락 ●
소토메의 시쓰 취락 ●

히사카시마 섬의 취락
● 오우라 천주당 ●

● 하라 성터

아마쿠사의 사키쓰 취락 ●

유네스코 세계문화유산으로 등재된 일본의 기독교 성지 12개
장소. 일본만의 독자적인 형태의 기독교 전승으로 가치를 인
정받았습니다. 아마쿠사 사키츠교회와 마을은 쿠마모토현이고
나머지 11곳은 나가사키현입니다. 소토메의 2개 마을과 오우
라천주당, 하라성터를 제외한 나머지 7곳은 섬입니다.

고토열도를 포함한 나가사키, 쿠마모토 일주는 12곳의 세계문
화유산을 중심으로 산재해 있는 기독교 성지를 찾아 가보는
일정이었습니다.

(히라도시 제공 자료의 한국어판에서 발췌)

2부
고토열도 일주

고토열도 (五島列島)로…

일본에 무인도無人島가 늘어나고 있습니다. 예전에 유인도有人島였던 섬들이 새로운 인구 유입 없이 젊은 층의 유출과 주민의 고령화에 따른 자연 감소로 인해 인구가 급감한 탓입니다. 노쿠비野首천주당이 있는 노자키시마野崎島를 예로 들면 어업과 농업을 주업으로 하던 유인도였으나 지속적인 인구 감소로 지금도 마을과 시설은 남아 있지만 무인도가 되었습니다. 시설은 섬의 황폐화를 막고 여행객과 노자키천주당의 순례객의 편의를 위해 관청에 의해 잘 관리되고 있습니다. 시설물은 캠프장 등의 형태로 이용되고 있지만 세계문화유산 노쿠비천주당이 있어도 이곳은 거주 주민이 없는 무인도입니다.

고토열도가 낙도이긴 해도 접근성이 그리 나쁜 편은 아닙니다. 후쿠오카福岡, 사세보佐世保, 나가사키長崎로 연결되는 정기 여객선이 있고, 고토열도 최대도시 후쿠에福江는 후쿠오카와 나가사키에서 직항이, 경유이긴 하지만 도쿄까지 항공편으로 연결됩니다. 열도 내 많은 섬들은 정기 여객선으로 연결되며, 가까운 섬들은 '해상海上택시'로 불리는 소형 선박을 이용할 수도 있습니다. 열도내 이동, 혹은 열도와 육지간 연결은 시간만 제대로 맞추면 그리 불편하지 않게 여객선을 이용할 수 있습니다.

이번 답사 여행은 큐슈의 관문 후쿠오카에서부터 출발했습니다. 출입국 수속을 해서 그렇지 사실 인천공항에서 비행 시간 한 시간 정도의 가까운 거리입니다. 한국인이 가장 많이 찾는 관광지중의 하나이기도 합니다.

후쿠오카에서 여객선을 이용하여 고토로 향했습니다. 고토열도 일주는 열도

31

의 북쪽 오지카시마小値賀島나 우쿠시마宇久島에서 시작하여 남쪽 후쿠에시마 福江島로 내려오는 루트와, 역으로 남에서 북으로 올라가는 루트가 있습니다. 필자는 남쪽 후쿠에시마에서 북쪽 오지카시마로 올라가는 루트를 택했습니다.

후쿠오카에서 밤 11시 45분에 출발한 여객선은 경유지 몇 곳에 정박한 후 종착지 후쿠에에 아침 8시15분에 도착합니다. 후쿠오카 복귀는 역순으로 후쿠에에서 오전 10시10분에 출발하여 후쿠오카에 오후 5시50분 도착하며 매일 운항합니다. 다만 계절과 휴일에 따라 변동이 있으니 사전에 운항 스케줄을 확인해야 합니다. 후쿠오카, 나가사키, 사세보 등 어디서 여객선을 타야 하는지도 일정에 반영해야 합니다. 해상 이동인 만큼 일기가 매우 중요하며, 특히 태풍이 오는 시기에는 결항하는 경우가 많으니 일기예보 사전 파악은 필수입니다. 필자는 늦여름에 간 관계로 여름 일정표에 따랐습니다만 이동중 태풍을 만나 어려움을 겪기도 했습니다.

고토열도는 남족의 후쿠에시마와 북쪽의 나카토리시마를 중심으로 바위섬을 포함하여 140개의 섬으로 이루어졌습니다. 후쿠오카, 나가사키, 사세보와 정기 여객선으로 연결됩니다.
전형적인 낙도落島입니다.

32

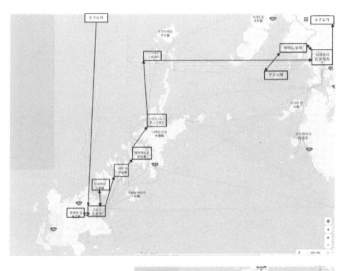

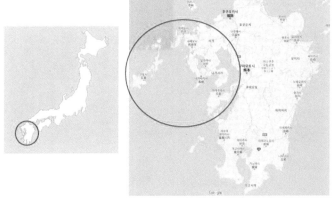

고토열도 이동 경로입니다. 하행시 후쿠오카에서 후쿠에까지 여객선
으로 직접 이동했고 상행시에는 오지카시마에서 여객선으로 사세보
로 이동했습니다.

육로와 여객선을 이용해 쿠로시마를 견학하고 후쿠오카로 돌아왔습
니다. 규슈 서쪽에 위치해 거의 일본 본토 최서단에 해당합니다.

오른쪽 지도의 원 부분에 기독교 성지가 집중되어 있습니다.

후쿠오카 출발은 하카타 부두 제2페리터미널에서 출발하여 우쿠,
오지카, 아오가타, 나루를 경유해 후쿠에에 도착합니다. 후쿠에 출
발은 그 반대 경로로 이동하며 소요 시간은 대략 8시간 정도입니
다. 하카타부두 제2터미널 앞에는 온천과 쇼핑 타운이 있어 승선
시간을 기다리며 둘러볼 수 있습니다. 필자는 여유 시간이 있어
온천을 즐겼습니다. 고토열도는 몇 개의 여객선 회사가 운항중에
있는데 후쿠오카와 고토열도를 연결하는 노선은 노모상선野母商船
입니다. 아래는 페리터미널에 있는 노선별 시간표와 운임입니다.

후쿠에시마 (福江島)

출발은 후쿠에(福江)로부터

인천공항에서 첫 비행기를 탑승한 관계로 후쿠오카福岡에 이른 오전에 도착했습니다. 이동하는 날이 마침 일요일이어서 교회부터 찾았습니다. 출국전 한국에서 미리 알아본 '후쿠오카 한인교회'를 찾아 예배에 참석했습니다. 공항에서 버스를 타고 텐진天神에 하차해 20분 정도 걸으니 한인교회가 보였습니다. 예배 참석 후 커피 한잔 대접받고 고토열도향 여객선이 출발하는 하카타博多 페리터미널로 향했습니다. 다행히 터미널은 교회에서 도보 20분 정도의 가까운 거리에 있습니다. 고토열도 후쿠에福江향 여객선이 출발하는 하카타부두 제2터미널입니다. 교회와 부두 모두 후쿠오카의 중심지 텐진에서 접근이 용이합니다. 시간 여유가 있어 여객선 출항 상황을 미리 확인해 보고자 교회에서 곧장 페리터미널로 이동했습니다. 밤 11시45분에 출발하는 여객선이라 승선권 판매 창구는 낮 시간에는 닫혀 있고 저녁 8시나 되어야 발권이 시작된다고 합니다. 시간 여유가 많아 페리터미널 인근을 둘러보았습니다. 하카타부두 제2터미널 바로 앞에 베이사이드 플레이스가 있습니다. 이곳에는 해산물을 주로 파는 재래시장과 레스토랑, 카페가 있어 둘러보는 재미가 쏠쏠합니다. 온천 '미나토노온센나미하노유港の温泉 浪波葉の湯'도 있습니다. 페리터미널은 후쿠오카 시내에 해당하는 곳인데 제대로 된 온천이 시내에 있으니 시민들이 먼 거리를 이동하지 않아도 온천을 즐길 수 있는 일종의 혜택처럼 느껴졌습니다.

어느덧 저녁이 찾아왔습니다. 온천장 바로 옆에 있는 페리터미널로 가니 발권 창구가 열려 있습니다. 간단한 승선 서류를 작성하고 승선권을 구매했습니다. 목적지가 같더라도 객실 등급에 따라 요금은 당연히 다릅니다. 이용한 객실은 그린Green실, 목적지는 종착지 후쿠에까지의 승선권을 구입했습니다. 기본 승선권 4,840엔에 그린 객실료 2,100엔을 더해 합 6,940엔을 지불했습니다. 심야 이동 여객선이 좋은 점은 이동 시간이 숙박을 겸한다는 점일 것입니다. 6,940엔이면 도시의 비즈니스 호텔 숙박료의 절반 수준이고, 1박으로 이동하며 시간도 많이 절약할 수 있습니다.

시간에 맞추어 승선했습니다. 안내 데스크의 직원이 승선객 신원을 확인한 후 직접 지정 객실까지 안내해 줍니다. 그린실은 캡슐호텔 형태입니다. 혼자만의 공간은 확보되나 공간이 무척 좁아 정말 딱 1인 전용입니다. 눕고 나면 잔여 공간이 전혀 없을 정도입니다. 대형 여객선이니 좀 더 넓게 해도 되지 않을까 하는 생각이 들었습니다. 선내에는 테이블과 의자가 있는 공용 공간이 있고 다양한 제품을 파는 자판기가 많이 비치되어 있습니다. 별도 식당은 없다고 들어서 간단한 먹거리를 준비하고 승선했습니다. 불편한 객실에 잠을 자지 못하면 어쩌나 걱정했는데 다행히 쉽게 잠이 들고 숙면을 취했습니다. 우쿠宇久, 오지카小值賀, 아오가타青方, 나루奈留에서의 중간 기착도 모른 채 후쿠에에 다다를 즈음에야 눈을 떴습니다. 태풍이 올라오고 있다는 일기 예보에 내심 걱정하고 출발했는데 후쿠에항에 도착하고나니 정말 많은 비가 내리고 있습니다. 이번 고토열도 일주에 태풍과 비는 내내 필자를 괴롭혔습니다.

하선 절차를 마치고 후쿠에 페리터미널로 들어왔습니다. 관광안내소를 찾아 지역 안내 팜플렛을 챙긴 뒤 안내소 직원의 도움을 받아 먼저 호텔 예약부터 했습니다. 이번 답사 여행에서는 기간 전체의 숙박을 사전에 예약하지 않았습니다. 일정 변경 발생을 우려하여 당일과 다음날의 숙박만 예약해 결국 매일 다음 행선지의 호텔을 예약하는 식이 되었는데 결과적으로 이는 매우 주효했습니다. 태풍으로 발이 묶이는 사태가 발생했기 때문입니다. 이 날은 관광안내소 직원에게 추천받은 호텔로 예약했는데 가격과 시설이 매우 만족할 만한 수준입니다. 호텔 예약을 마치니 마음이 든든해졌습니다.

후쿠에시마를 일주할 차량을 빌리러 렌트카 창구를 찾아 갔습니다. 그런데 난처하게도 준비해 온 국제 면허증으로는 차량 렌트가 불가하고 반드시 일본 운전 면허증이 있어야 한다고 합니다. 일본에서 수차례 렌트카를 이용해 왔지만 이런 경우는 처음이라 난감했습니다. 많이 당황스러워하는 것으로 보였는지 옆에서 계속 지켜보던 옆 창구의 여행사 직원이 시내에 있는 토요타 렌트카는 국제 면허증을 인정해 줄 수도 있으니 알아봐 주겠다고 도움의 손길을 내밀었습니다. 당연히 부탁한다고 하자 어딘가와 잠시 통화를 하더니 다행히 이곳은 국제 면허증이 인정된다고 알려줍니다. 이 여행사 직원은 후쿠에에서 정말 많이 필자를 도와주었는데 나카무라中村라는 이름의 중년 여성 직원입니다. 오래지 않아 토요타 렌트카 직원이 빗속을 뚫고 페리터미널에 도착했습니다. 픽업 서비스를 받아 사무실로 같이 이동한 다음 간단한 수속을 마치고 차를 인수받았습니다. 후쿠에시마는 예상외로 큰 섬이어서 자전거나 일반 대중교통을 이용해 짧은 시간에 돌아보기가 불가능에 가까워 렌트카가 반드시 필요한 상황이었습니다. 렌트카 직원에게 오늘 답사할 코스를 이야기하니 지도에 목적지의 위치, 가는 길을 표시해 가며 상세히 설명해 줍니다. 곰이나 원숭이는 없으나 멧돼지가 많으니 주의하라는 당부도 잊지 않습니다. 멧돼지가 자주 출몰하는 길을 표시해 주며 돌아 가더라도 이 길은 피하라고 알려줍니다. 다행히 필수 아이템인 네비게이션이 제공되었습니다. 가장 먼저 찾은 곳은 유서 깊은 카톨릭 도자키천주당堂崎天主堂입니다.

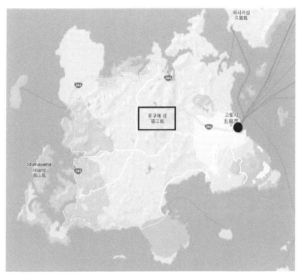

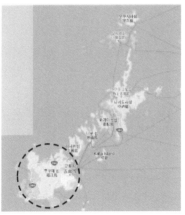

고토열도 남쪽의 섬 후쿠에시마입니다. 시모고토下五島 지역입니다. 후쿠에시마의 항구가 있는 시내는 고토열도의 수도에 해당합니다. 위 지도의 파란 점은 후쿠에 페리터미널인데 이 곳을 중심으로 시가지가 형성되어 있습니다. (구글맵 지도)

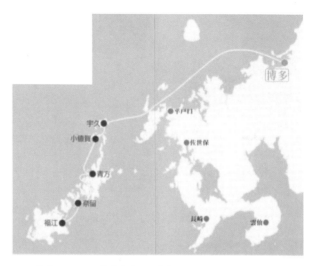

노모상선野母商船주식회사가 운영하고 있는 하카타-고토열도 왕
복 정기 여객선 '타이코'의 항해 루트입니다. 하카타博多를 출
발하여 우쿠宇久, 오지카小値賀, 아오가타青方, 나루奈留에 중간 기
착하며 후쿠에福江를 종착지로 합니다. 후쿠에를 출발하는 하카
타향은 그 반대 방향입니다.

하카타 출발선은 밤 11시45분에 출발, 심야에 이동하여 후쿠에
에 아침 8시15분에 도착하며, 후쿠에 출발선은 주간에 이동하
여 후쿠에에서 오전 10시10분에 출발하여 오후 5시50분 하카
타항에 도착합니다.

후쿠오카는 큐슈의 수도에 해당하는 곳이고 하카타는 후쿠오
카의 별칭입니다. 후쿠오카와 하카타는 원래 별개의 지역이었
으나 메이지시대에 합병하여 하나의 도시가 되었습니다. 후쿠
오카에서는 정작 후쿠오카라는 이름보다 하카타라는 이름을
더 많이 사용하는 것 같습니다. 큐슈의 관문 후쿠오카역의 이
름도 후쿠오카역이 아닌 하카타역입니다.

하카타와 후쿠에를 연결하는 노모상선의 타이코호.
이 여객선을 이용해 고토열도에 첫 발을 내딛었습니다.

승선하면 직원이 맞아줍니다. 승선권을 확인한 후 개인실인
그린실과 그 이상의 등급은 객실까지 직접 안내해 줍니다.
깨끗하고 깔끔해서 호텔이 연상되었습니다.

여객선 내부는 무척 깨끗하고 청결하게 관리되고 있습니다.

그린 침실. 캡슐 형태 침실이 2개 층으로 되어있습니다.

식당이 없는 대신 다양한 품목을 판매하는 자동판매기가
많이 구비되어 있습니다.

심야 항해 끝에 종착지 후쿠에에 닿았습니다.
하선 직전 여객선에서 바라본 후쿠에항입니다.

카톨릭 도자키천주당 カトリック堂崎天主堂

세찬 비를 뚫고 페리터미널에서 그리 멀지 않은 도자키천주당堂崎天主堂에
도착했습니다. 천주당 건물까지 직접 갈 수는 없고 지정 주차장에 주차한
다음 조금 걸어 들어가야 합니다. 천주당으로 연결되는 길에 작은 카페가
소담스럽게 자리잡고 있습니다. 천주당의 내부는 자료관으로 운용되고 있어
실제 일요일 예배는 이루어지지 않습니다. 다만 매월 첫째주 일요일 아침에
예배가 있다고 합니다. 내부 예배당은 자료관으로 사용되고 있으니 아마 전
시물 사이에 예배 공간을 만드는 듯합니다. 붉은 벽돌로 지어진 천주당은
그 역사를 말해주듯 작지만 고풍스러운 모습을 간직하고 있습니다.

도자키천주당은 고토 키리시탄 부활의 거점으로 중요한 역할을 담당했습니
다. 기독교 금교령이 철폐된 1873년 프레노 신부가 처음으로 도자키천주당
이 있는 해변가에서 크리스마스 예배를 드렸고 1877년부터는 고토에 상주
했습니다. 1880년 프랑스 출신의 마루만신부가 중심이 되어 도자키 임시 교
회가 세워졌고, 1907년 페르신부의 주도로 건축되어 현재의 교회가 완성되
었습니다. 나가사키에 현존하는 가장 오래된 서양식 건물입니다. 마루만신
부는 후에 사세보佐世保 앞 바다에 있는 쿠로시마黒島로 부임하여 쿠로시마
교회를 설계했고 쿠로시마교회는 잠복 키리시탄 마을터와 함께 유네스코
세계문화유산으로 등재되었습니다. 도자키천주당은 역사와 함께 건축학적으
로도 높은 가치를 인정받아 1974년 나가사키 중요 문화재로 등록되었습니
다.

도자키천주당 전경입니다. 붉은색 벽돌로 고딕양식으로 지어졌습니다. 바로 옆에 바다가 있고 다른 한쪽에는 언덕이 있습니다. 초입에는 작은 마을이 있습니다. 인근에 전용 주차장이 있어 주차를 하고 걸어 들어가야 합니다.

걷다 보면 천주당 후면부터 보이고 표지목과 매표소가 있습니다 상주하는 해설사나 안내원은 보이지 않지만 사전 예약을 하면 자원 봉사자 해설사의 설명을 들을 수 있다고 합니다.

내부는 자료관으로 활용되고 있습니다. 고토의 키리시탄 관련 유물을 중심으로 일본 키리시탄 관련 유물이 다수 전시되어 있습니다.

46

영내의 외부 공간은 '키리시탄 정원庭園'으로 부릅니다. 왼쪽은 순교자 요한 고토, 오른쪽은 선교사 마루만신부와 페르신부의 동상입니다.

성 요한 고토 순교상 '수난의 때'
고토 출신의 19세 청년 키리시탄 요한 고토는 1597년 오사카에서 체포되어 나가사키까지 800Km를 33일 동안 끌려왔습니다. 다른 25명의 키리시탄과 함께 나가사키 니시자카에서 십자가 순교했습니다. 죽음 직전 십자가에 매달려 기도드리는 순간을 표현했습니다.

자유와 사랑의 사자 '부활의 여명'
메이지시대에 기독교는 해금되고 서양 선교사들이 고토열도로 들어왔습니다. 왼쪽이 고토에 최초로 들어와 선교한 마루만신부, 오른쪽이 현재 도자키천주당을 건축한 페르신부. 가운데 어린이상은 특히 어린이와 여성의 복지 사업에 힘쓴 선교사들을 표현하고 있습니다.

알메이다의 선교비 '만남의 날'입니다. 자비에르의 가고시마 상륙후 17년이 지난 1566년 고토에 포루투갈 출신 선교사 알메이다신부와 히라도 출신의 일본인 로렌조가 들어와 기독교를 전하기 시작했습니다. 설교하는 사람이 알메이다신부, 왼쪽에 앉아 있는 사람이 로렌조, 가운데 앉아 있는 사람이 영주 우쿠 스미사다宇久純定, 그 외는 가신들과 가족들입니다. 알메이다는 영주 우쿠 스미사다의 지원하에 기독교를 전도했고 많은 주민들에게 세례를 베풀었습니다. 스미사다는 1562년 예수회에서 파견한 일본인 의사 디에고의 치료를 받아 기독교에 대해 호의적이 되었고, 1566년 입도한 의사이기도 했던 알메이다신부의 치료를 받고 완치되어 본격적으로 기독교 신앙을 가지게 되었습니다. 결국 스미사다는 1568년 세례를 받고 키리시탄 다이묘가 됩니다. 그의 아들 스미타카宇久純尭 역시 1576년 세례를 받아 세습 키리시탄 다이묘가 되었습니다. 스미타카 시대에는 고토의 후쿠에, 오쿠우라, 무카타 등지에 예배당이 세워졌고 신자는 2천명을 넘을 정도로 폭발적으로 증가했습니다.

1566년 이루어진 주민과 알메이다와의 만남을 묘사하고 있는 이 동판은 고토열도의 주민들이 기독교와의 만남을 기념하기 위해 만들었습니다.

1935년의 도자키천주당. 이 교회 건물이 지금도 그대로 같은 곳에 서있습니다. 당시에는 커다란 소나무들이 둘러 싸고 있었습니다. 사람들이 많은 것으로 보아 일요일 예배 전후거나 행사가 있었던 것 같습니다.

1904년 페르신부 의해 세워진 고아 육아 시설 자혜원慈惠院. 1880년 마루만신부가 도자키교회 바로 옆에 지은 시설을 기원으로 합니다.

카톨릭 미즈노우라교회 カトリック水の浦 敎會

도자키천주당을 출발하여 미즈노우라교회カトリック水の浦敎會로 향했습니다. 천주당을 벗어나자 바로 흰색의 교회가 눈에 들어와 잠시 들러 보았습니다. 우라토浦頭교회입니다. 현대식 콘크리트 건물로 고古교회군에 속하지는 않습니다. 문도 닫혀 있는데다가 외견으로 보아 그리 오래된 교회는 아닌 듯하여 외관만 보고 떠났습니다.

미즈노우라교회로 가는 길, 비는 폭우로 바뀌어 더욱 세어져 무섭기까지 합니다. 여행중에는 안전이 최우선, 주행을 포기하고 작은 건물의 주차장으로 피신해 비가 잦아 들기를 기다립니다. 후쿠에 지도를 찾아 이동 루트를 확인하고 있는 사이 비가 잦아들어 다시 길을 떠납니다. 네비게이션의 맵 코드로 위치를 확인하고 달리다 보니 포구가 눈에 들어옵니다. 곧이어 언덕 위에서 미즈노우라 앞바다를 굽어보며 서있는 새하얀 색채가 눈부신 미즈노우라교회가 나옵니다. 미즈노우라 지역의 키리시탄 역사는 1797년 큐슈 서부 내륙의 오무라번大村藩으로부터의 주민 이주 정책에 따라 불교 신자로 위장하여 입도해 들어온 잠복 키리시탄으로부터 시작됩니다. 조용히 소문이 퍼지면서 잠복 키리시탄이 모여 들며 키리시탄 마을을 이루게 됩니다. 1873년 금교령이 폐지되자 미즈노우라교회는 그간 잠복해 있었던 키리시탄들에 의해 1880년 세워졌고, 노후화됨에 따라 1938년 테츠카와 요스케鉄川与助의 설계로 개축되어 오늘에 이르고 있습니다.

50

위 사진은 이동 경로입니다. 왼쪽 위 빨깐 네모칸이 미즈노 우라교회, 오른쪽 위부터 아래로 도자키교회, 우라토교회, 후 쿠에항입니다.

중간과 아래 사진은 우라토교회입니다.

미즈노우라 언덕에 위치한 미즈노우라교회.

외견을 보니 왠지 나가사키시에 있는 국보國寶 '오우라천주당大浦天主堂'이 연상되었습니다. 자료를 보니 역시 테츠카와 요스케가 오우라천주당을 모델로 하여 지었다고 나옵니다. 로마네스크식, 고딕식, 일본식이 혼재된 아름다운 목조 건축물입니다.

1880년 지금의 장소에 최초의 미즈노우라교회가 세워졌고, 노후됨에 따라 1938년 다시 지어져 오늘에 이르고 있습니다. 키리시탄의 고토로의 본격적인 이주는 1797년부터 이루어졌습니다.

1866년 미즈노우라 마을의 키리시탄 대표 3명이 나가사키시에 있는 오우라천주당을 방문했습니다. 이들은 선교사 프띠장신부를 만나고 성물인 메달과 십자가를 받아 미즈노우라로 돌아옵니다. 오우라천주 당은 1864년 완성, 1865년 헌당식을 가졌는데 같은 해인 1865년 키리시탄임을 일반에 공개하는 '신도발견' 사건이 일어납니다. 한편 미즈노우라에서는 1866년 예배 집회가 발각되어 현장에 있던 키리시탄 전원이 체포되어 짧으면 3년, 길게는 5년 동안 옥사에 갇혀 있었습니다.

위 사진은 1966년의 미즈노우라교회입니다. 일요일인 듯 많은
사람이 보입니다. 아래는 산 기슭에서 바라본 미즈노우라 마을과
앞 바다입니다. 오른쪽 흰 건물이 미즈노우라교회입니다.

고토 출신의 첫 순교자 요한 고토의 동상이 영내 한편에 있습니다. 나가사키 니시자카에서 순교한 26성인중 한명으로 순교 당시 19세의 청년이었습니다.

교회 뒤편 산 기슭에 키리시탄의 공동 묘지가 조성되어 있습니다. 그들이 비밀리에 신앙을 지켰던 마을, 해금후에 신앙을 이어온 미즈노우라 마을과 그 앞 바다를 굽어보며….

쿠스하라교회楠原教會와 견당사 후루사토관遣唐使故鄕館

다시 차를 몰아 쿠스하라교회カトリック楠原教會로 향했습니다. 미즈노우라에서 그리 멀지 않은 거리에 있습니다. 비는 다행히 좀 잦아 들었습니다. 쿠스하라 마을은 미즈노우라 마을과 마찬가지로 오무라外村에서 이주해온 잠복 키리시탄이 모여 살며 이룬 마을입니다. 이들은 불교신자로 위장하여 오무라를 떠나 고토로 들어왔습니다. 정착하고 생활이 안정되면서 점차 키리시탄이라는 소문이 은밀하게 퍼지게 됩니다. 비밀리에 신앙 공동체가 형성되었고 신앙은 대를 이어 세습되었습니다.

세월이 흐르고 해금이 되자 이들은 양지로 나와 교회를 짓게 되는데 그 교회가 쿠스하라교회입니다. 지금의 교회는 1912년 테츠카와 요스케의 설계로 지어졌습니다. 도자키교회와 함께 후쿠에의 기독교를 오랫동안 지켜왔다는 평가를 받고 있습니다. 붉은 벽돌로 고딕 양식으로 지어져 강건함이 느껴집니다.

이어 성지는 아니지만 견당사遣唐使 후루사토관故鄕館을 견학차 찾았습니다. 일본은 고대에 한반도의 백제로부터 문물을 수입하다가 중국으로부터 직접 수입하고자 중국으로 사절단을 보냈습니다. 당나라로 보낸 사절단은 견당사遣唐使, 수나라로는 견수사遣隋使라 부릅니다. 고토는 견당사의 중간 기착지로 병참의 역할을 수행했습니다. 고속도로 휴게소에 해당하는 미치노에키道の驛에 있는 작은 기념관인데 실제 볼만한 기념물이 별로 없어 실망스러웠습니다. 실제 사용했던 유물은 전무했고 모형이 주를 이루고 있습니다.

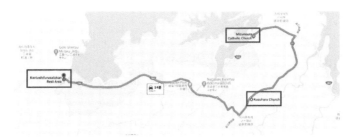

위쪽 미즈노우라교회를 출발하여 아래 쿠스하라교회를 방문하고
왼쪽 미치노에키 견당사 후루사토관을 찾았습니다.

1912년 3년간의 공사 끝에 붉은 벽돌로 지어졌습니다. 세월의 흐름에
따라 노후되어 1968년 대대적인 보수 작업을 거쳐 오늘에 이르고 있
습니다. 시모고토 최초의 교회인 도자키교회의 건축이 1907년이니 쿠
스하라교회는 시모고토에서 두번째로 오래된 교회가 됩니다. 금교의
시대에는 쿠스하라 기독교 지도자의 집을 감옥으로 개조하여 키리시
탄을 투옥하고 고문하기도 했습니다. 감옥은 후에 미즈노우라로 옮겨
갑니다. 해금이 되자 키리시탄들은 풀려나고, 이곳을 떠나지 않고 남
아 신앙을 이어 갔습니다. 쿠스하라교회는 이들 키리시탄의 신앙심이
탄생시킨 기독교 부활의 상징입니다.

1966년의 쿠스하라교회입니다. 지금은 사라진 교회 어린이 놀이터의 그네가 정겹게 보입니다. 사진 속 그네 타는 소녀들과 뒤에 앉은 교복 입은 소년들은 지금은 중장년이 되어 있을 것입니다.

방문하던 날 교회 영내에서 한 커플의 젊은이들을 만났습니다. 자신들은 나가사키에 사는 직장인인데 휴가를 이용해 고토의 성지를 순례중인 키리시탄이라고 합니다. 짧게 스쳐간 만남이었지만 순례하는 그들의 모습이 왠지 숭고해 보였습니다.

휴게소인 미치노에키입니다. 이 휴게소 건물안에 견당사 후루사토관이 있습니다. 견당사는 서기 630년부터 260년간 18회 당나라에 파견되었습니다. 목적이 당나라로부터 선진 문화와 문물을 수입하는 것이어서 학자와 승려를 중심으로 구성되었습니다. 그전 607년 수나라의 문물을 배우고자 견수사를 파견했었습니다. 견수사, 견당사 모두 고대 일본인 아스카시대에 파견되었고, 목적은 백제로부터의 문물 수입에서 벗어나 중국과 직접 교류하고 수입하기 위함이었습니다. 당시의 선박은 관련 자료가 남아있지 않아 당시의 그림, 중국의 자료를 기초로 만든 상상의 모형입니다. 전시관 중앙에 큰 크기로 전시되어 있습니다. 전시물은 빈약한데 워낙 오래전의 일이니 남아있는 유물이 별로 없을 것이고 설혹 있다 하더라도 검증이 불가할 것입니다.

카이즈교회貝津敎會와 이모치우라교회井持浦敎會

미치노에키에서 잠시 한숨을 돌리며 쉬었습니다. 다행히 비는 많이 잦아 들었습니다. 아직도 갈 길이 멉니다. 미치노에키에서 나와 다시 길을 떠났습니다. 지도를 보니 카이즈교회カトリック貝津敎會는 숲속에 있어 찾기가 쉽지 않아 보입니다. 맵 코드도 나와 있지 않습니다. 미치노에키로 다시 들어가 안내소에서 설명을 듣고 약도까지 받았습니다. 교회까지 그리 먼 거리는 아니었으나 진입로가 좁은 산촌에 있다 보니 찾기가 쉽지 않았습니다. 교회 주위는 온전히 숲입니다. 숲과 조화를 이루어 그런지 마음이 평안해지고 차분해집니다.

오무라에서 이주해 온 주민들이 모여 살던 마을 후쿠에의 다케야마竹山에는 잠복 키리시탄이 많았습니다. 키리시탄은 불교신자 행세를 하며 다른 이주민과 함께 섞여 들어왔다가 점차 모여 살며 잠복 키리시탄 마을을 이루어 살았습니다. 시간의 흐름에 따라 적발되는 사건이 일어났고 결국 많은 키리시탄들이 투옥되고 고문을 받게 됩니다. 이때가 1868년 메이지유신 즈음이니 금교에 따른 박해가 19세기 중반까지 이어진 것입니다. 이후 다케야마를 중심으로 40가구의 키리시탄이 중심이 되어 1924년 카이즈교회를 건축했습니다. 세월의 흐름에 따른 노후로 1962년 대대적인 개보수를 거쳐 오늘의 모습을 가지게 되었습니다.

교회당 주변은 화단이 잘 정돈되어 예쁜 꽃들이 이 마을 소녀같이 수줍게 피어 있습니다. 불과 150년전 마을의 키리시탄 주민들이 고문받고 옥사했다는 사실을 마치 잊기라도 한 것처럼.

60

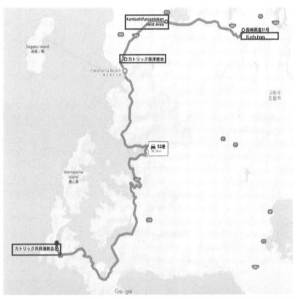

이동 노선입니다. 오른쪽부터 쿠스하라교회, 미치노에키 견당사
후루사토관, 카이즈교회, 이모치우라교회입니다. 후쿠에섬은 생
각보다 커 이동 시간이 예상외로 많이 걸렸습니다. 카이즈교회
에서 한 시간 이상을 달려 이모치우라에 닿았습니다.

아래는 카이즈교회 예배당입니다. 교회는 적막에 둘러 쌓인 숲
속에 있어 편안한 느낌이 들었습니다.

카이즈교회 전경입니다. 1924년 목조로 만들어졌습니다. 노후됨에 따라 1962년 개보수를 하여 오늘에 이르고 있습니다. 흰색 외벽에 지붕 역시 목조로 얹었습니다. 낮은 첨탑이 정겹게 느껴집니다.

카이즈교회 최대의 특징이자 자랑으로 일컬어지는 스테인드글라스 입니다. 글라스를 막는 장애물이 없고 건물의 측면이 동서 방향으로 자리잡고 있어 햇살이 온전히 예배당에 들어온다고 합니다. 햇살은 교회안을 포근하게 감싸는 것 같습니다. 비가 내린 직후라 햇살은 들어오지 않았지만 글라스로 투과되는 햇살은 충분히 짐작이 되었습니다.

카이즈교회를 뒤로 하고 이모치우라교회伊毛知浦教會로 향했습니다. 후쿠에시마가 크다고는 들었지만 낙도가 커봐야 얼마나 크겠냐고 생각했었는데 그게 아니었습니다. 국도를 한시간을 넘게 달려 겨우 닿았습니다. 후쿠에시마에 대해 전혀 몰랐을 때 자전거를 렌탈하여 섬을 일주하겠다는 생각이 얼마나 무모한 생각이었는지 쓴 웃음이 나왔습니다.

가는 길은 해안에 면한 도로가 많은데 무척이나 한적하고 평화스러워 보였습니다. 간혹 지나가는 자동차가 보일 뿐 행인은 전혀 보이지 않습니다. 산에 면한 도로가 나올 때면 혹 멧돼지라도 달려들지 않을까 은근히 걱정이 되기도 했습니다. 한참을 달린 끝에 겨우 이모치우라교회에 도착했습니다.

운전 거리가 길게 느껴진 것도 무리가 아닌 것이 교회가 섬의 남서쪽으로 길게 뻗은 반도의 끝 부분에 자리 잡아 물리적으로 거리가 먼 것이 사실이었습니다. 섬 가운데서도 오지에 속하는 이러한 위치가 오히려 잠복 키리시탄을 살린 것 같습니다. 워낙 오지에 있다 보니 메이지시대 초기 키리시탄 박해의 광풍을 비켜 갈 수 있었다고 합니다. 유일하게 박해를 피한 잠복 키리시탄 마을입니다. 이모치우라교회는 1897년 이 지역 키리시탄 주민들에 의해 지어졌고 1924년과 1988년에 증개축을 거쳐 오늘에 이르고 있습니다.

이모치우라교회 가는 길에 만난 해변입니다. 늦여름의 여유로움이 묻어납니다. 해변을 걷는 젊은이들이 많이 보입니다. 동화책 속에서나 나올법한 예쁜 집이 해변 옆 산자락에 있습니다.

가늘고 길게 뻗은 반도의 끝부분에 숨은 듯 위치해 있었던 덕분으로 잠복 키리시탄은 박해를 피해 갈 수 있었습니다. 이모치우라 역시 오무라에서 이주해온 잠복 키리시탄이 모여 이룬 마을입니다. 1897년 지어진 고토 최초의 벽돌로 지어진 교회당으로 출석 신자수 가 늘어나자 1924년 증축했고, 노후에 따라 1988년 개보수를 통해 오늘에 이르고 있습니다. 예배당은 고풍스러운 외관에 비해 무척이 나 깔끔하게 잘 관리되고 있습니다.

이모치우라교회 영내에 일본 최초로 만들어졌다는 '루루도의 샘'이 있습니다. 1895년 페르신부 주도로 고토 각지의 암석을 선별해 1897년 완성하였습니다. 루루도Lourdes란 원래 프랑스에 있는 마을의 이름입니다. 1858년 베르나데트 수비루라는 소녀가 루루도 산속에서 동굴을 발견했는데 그 동굴에서 성모 마리아를 만났다고 합니다. 동굴의 이름을 '기적의 동굴', 이때 만난 성모 마리아를 '루루도의 성모'라 불렀습니다. 모두 18번에 걸쳐 수비루는 성모 마리아를 만나 대화를 나누었습니다. 성모의 얘기에 따라 동굴 안 흙을 걷어내자 샘물이 나왔습니다. 샘물을 마신 수비루는 지병인 천식이 나았고 사후에도 시신이 부패하지 않았다고 합니다. 이후 7,000명의 환자가 치료되는 놀라운 기적이 일어났습니다. 마리아를 만난 수비루는 수녀가 되어 평생 마리아를 섬기며 살았습니다. 프랑스 정부와 교회는 이 지역을 성역화 했습니다.

후쿠에교회 福江敎會

서쪽 반도 끝의 이모치우라교회에서 동쪽 끝에 해당하는 후쿠에 시내까지
또 한시간을 달렸습니다. 무척이나 평화로워 보이는 들녘을 달리니 마음마
저 평온해집니다. 산과 바다가 계속 교차되며 눈에 들어옵니다. 한가로이
보이는 들녘을 달려 봅니다. 이렇게 마음이 편해지는 것은 잠복 키리시탄이
이 땅에 뿌려 놓은 신앙의 힘에 의한 것이 아닐까하는 생각이 들었습니다.
서로 사랑하라는 계명을 지킨 잠복 키리시탄의 영향이 오늘날까지 살아 숨
쉬는 것 같습니다.

후쿠에 시내로 진입하니 다행히 비는 완전히 그쳐 있습니다. 시내는 고토열
도 최대의 도시답게 제법 큰 건물이 많이 들어서 있습니다. 퇴근 시간이지
만 시내는 그리 번잡하지 않습니다. 번화가라고 해도 인구 감소 때문인지
어딘가 많이 퇴락한 분위기가 묻어납니다. 렌터카에 주유를 하고 반납했습
니다. 휘발류 가격은 내지와 차이가 없습니다. 렌터카 직원은 차량 상태를
점검하고 예약한 호텔까지 태워줍니다.

어느덧 긴 여름해가 뉘엿뉘엿 지려 합니다. 호텔 체크인만 하고 후쿠에교회
カトリック福江敎會를 찾아 나섰습니다. 답사 여행시 먼 곳부터 보고 가까운
곳은 나중에 보는 방식을 취해야 시간을 효율적으로 사용할 수 있겠다는
생각이 들었습니다. 호텔과 후쿠에교회는 도보로 10분이 채 걸리지 않는 지
척입니다. 古교회당은 아니나 무척이나 큰 규모를 자랑하는데 그만큼 출석
교인수가 많다는 의미일 것입니다.

66

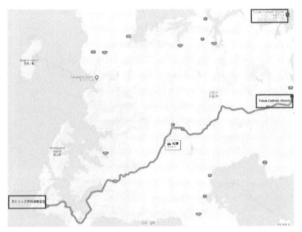

왼쪽부터 이모치우라교회, 후쿠에교회. 맨 위는 도자키교회입니다.
해안 도로를 따라 달리다 섬을 횡단하듯 중앙을 가로질러 후쿠에
시내에 닿았습니다. 후쿠에시마에는 대부분이 古교회당인 14개의
교회가 있습니다. 대표적인 교회만 방문했지만 생각 같아서는 모두
보고 싶었습니다.

후쿠에시마 시내에 자리한 후쿠에교회

사진은 교회 내부 예배당입니다.

후쿠에시마의 기독교는 1896년 섬 바로 북쪽에 인접한 히사카시마 久賀島에서 이주해 온 키리시탄에 의해 그 역사가 시작됩니다. 1910년 페르신부에 의해 최초의 후쿠에교회가 세워졌는데 원래 공립병원이 었던 시설을 교회로 개조한 것이었습니다. 지금의 교회는 1962년 현 대식으로 새로 건축한 것입니다. 완공되고 5개월후인 1962년 9월 후 쿠에 대화재가 발생하여 시가지 거의 전체가 소실되는 사건이 있었 습니다. 하지만 후쿠에교회만은 기적적으로 불에 타지 않았습니다. 화재로 폐허가 된 시내에서 홀로 우뚝 솟은 교회당을 보며 주민들은 희망과 부흥의 의지를 다졌다고 합니다. 고토시의 행정, 경제의 중심 지에 위치하며 페리터미널, 후쿠에성, 시내 번화가 모두 걸어서 이동 가능한 근접 거리에 있습니다.

1962년 9월에 발생한 대화재로 시내 거의 대부분이 소실되었습니다. 하지만 파란 원 안에서 보듯 후쿠에교회만은 화재로부터 벗어나 온전하게 남아있습니다. 멀리서도 보이는 우뚝 선 모습의 교회를 바라보며 주민들은 희망을 품고 복구에 힘을 기울였습니다.

아래는 화재 직후의 후쿠에교회와 부근입니다. 얼마나 큰 화재였는지 남아 있는 것은 폐허뿐입니다. 낙도에 대화재가 일어났으니 복구에도 많은 시간이 걸렸습니다. 하지만 주민들은 새로운 후쿠에의 부흥을 의심하지 않았고, 오히려 더 큰 기대를 했습니다. (고토시 제공 자료)

69

1962년 교회 완공후 드린 첫 예배 장면입니다. 지금은 고토열도
에서 가장 많은 출석 교인이 있는 교회입니다. (고토시 제공 자료)

원래 공립병원을 개조해 이용하던 초기의 후쿠에교회당입니다.
지붕 한가운데 희미하지만 십자가가 보입니다. (고토시 제공 자료)

후쿠에교회 방문을 마치고 다음날 일정을 알아보기 위해 페리터미널을 다시 가보았습니다. 안내소를 비롯한 모든 창구는 이미 마감 시간이 넘어 닫혀 있었지만 아침에 큰 도움을 주었던 나카무라씨는 홀로 잔업을 하고 있었습니다. 잔업중이라 좀 미안했지만 다음 일정인 히사가시마人賀島와 나루시마奈留島 사정을 문의했습니다. 어차피 늦게까지 해야 할 잔업이 있다며 친절히 안내해 줍니다. 교통편과 숙소 설명은 물론 예약까지 직접 해주었습니다. 사무실에 마주 앉아 차까지 대접받으며 많은 이야기를 나누었습니다. 젊었을 때는 섬이 답답하여 도시로 나가 살고 싶은 마음에 도시에서 살아도 보았지만 지금은 오히려 이곳이 더 좋아 아마 죽을 때까지 후쿠에에 살 것 같다고 합니다.

나카무라씨가 메모해 준 안내 설명입니다. 검은 색은 사무실에서, 빨간 색은 나중에 다시 호텔 로비에서 적어준 글입니다. 메모 순서를 구분하기 위한 세심한 배려에 내심 탄복했습니다. 이번 고토열도 답사중 가장 큰 도움을 준 두 사람중의 한명입니다. 다른 한 명은 신카미고토 안내소의 스즈키씨입니다.

나카무라씨로부터 충분한 설명을 듣고 호텔로 돌아가는 길, 다소 피곤한 몸으로 늦은 저녁을 해결했습니다. 섬의 일과는 빨리 끝나는지 그리 늦은 시간이 아닌데도 식당을 비롯한 대부분 상점들은 문이 닫혀 있습니다. 작은 이자카야 몇 곳과 편의점만이 문을 열고 있었습니다. 할머니와 그의 중년 아들이 운영하는 듯한 작은 식당을 겨우 찾아 간단히 해결했습니다.

호텔로 돌아와 하루의 피로를 조금이라도 풀 겸 로비 소파에 앉아 따듯한 커피 한잔을 하고 있는데, 아는 사람 하나 없는 초행인 이곳에 낯 익은 얼굴이 현관에서 들어옵니다. 나카무라씨입니다. 예약 상황에 변경이 생겨 알려주려 왔다고 합니다. 필자 이름을 정확히 몰라 호텔에 전화해도 연결이 어려울 것 같아 직접 찾아온 것이라고 하는데 그 친절이 무척이나 고마웠습니다.

로비에서 다시 설명을 들었습니다. 이때 히사가시마에서의 택시 예약을 취소했는데 이게 패착이 되었습니다. 나카무라씨가 택시 정류장이 별도로 없으니 택시는 미리 예약해야 안심할 수 있다고 강조했는데 작은 섬에서 택시 부르기가 뭐 어렵겠냐 싶어 별 생각 없이 예약을 취소했습니다. 나중에 알게된 사실이지만 히사가시마에는 유네스코 세계문화유산인 큐쿄린교회가 있어도 인구 300명에 불과한, 생활 인프라가 무척 취약한 그야말로 낙도였던 것입니다. 터미널 편의 시설이 전무했습니다.

후쿠에 페리터미널에서 바라본 후쿠에 시내 전경입니다.

히사가시마 (久賀島)

히사가시마久賀島로

히사가시마久賀島는 후쿠에항에서 북쪽으로 배로 20분 걸리는 가까운 섬입니다. 무척 작은 섬이지만 유네스코 세계문화유산으로 등재된 잠복 키리시탄 마을과 큐쿄린교회旧五輪教會가 있어 방문했습니다. 태풍이 올라오고 있다는 일기예보에 내심 걱정이 되었으나 다행이 아직 비는 내리지 않습니다. 히사가시마의 타노우라田の浦 선착장이 후쿠에 페리터미널과 연결됩니다. 짧은 거리를 왕복하는 관계로 여객선은 작아 정원은 많아야 서른 명 정도로 보입니다. 새카맣게 그을린 청년 한 명이 여객선의 일을 하고 있습니다. 후쿠에 페리터미널을 출항한지 20분만에 히사가시마 타노우라 선착장에 도착했습니다.

타노우라에 도착하자마자 깜짝 놀랐습니다. 정말 항구에는 아무것도 없습니다. 그저 배를 정박할 수 있는 시설뿐 사무실은 물론 가건물조차 보이지 않습니다. 인근에 마을은커녕 민가조차 없습니다. 픽업 나오기로 한 택시를 그 전날 취소한 것이 화근이었습니다. 후쿠에 페리터미널처럼 터미널이 있고 안내소가 있으며 여객선 도착 시간에 맞추어 택시가 기다리고 있을 것이라 지레 짐작하여 예약을 취소하고 타노우라 선착장에서 택시를 잡아탈 요량이었습니다. 아무런 시설도 없고 전화조차 사용할 수 없어 (택시회사 전화 번호도 모를 뿐 더러) 난감했습니다. 마침 같은 배를 타고 와 이미 먼 발치에 걸어가고 있는 중년 여성에게 다가가 도움을 요청했습니다. 이곳 학교에 일이 있어 다니러 왔다며 픽업 나온 차량을 향해 가고 있던 중이라고 합니다. 난처해진 사정을 얘기했더니 자신도 이곳 주민이 아니어서 방법을 잘 모르겠다며 마침 출항하려는 어선의 어부에게 택시 회사의 전화번호를 물어봅니다. 이어 직접 전화하여 택시를 불러 주었습니다. 정말 아무도 없었다면 많은 어려움이 있었을 것입니다. 무척이나 고마운 사람들입니다. 20분 정도 기다리니 택시가 오는 것이 보였습니다. 반가웠습니다.

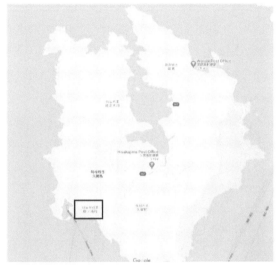

위는 히사가섬과 타노우라 선착장 (파란 네모 칸)
아래 후쿠에와 히사가시마를 연결하는 소형 여객선

쿄린교회와 큐쿄린교회五輪教會와 旧五輪教會

히사가시마를 찾는 방문객은 십중팔구 큐쿄린교회旧五輪教會를 보기 위해 온다고 해도 과언이 아닐 정도로 이 교회는 의미있는 교회입니다. 한자의 뜻 그대로 옛旧쿄린교회라는 뜻입니다. 큐쿄린교회로 이동하며 기사에게 히사가시마에 대한 설명을 들었습니다. 히사가시마는 인구가 300명에 불과한 작은 섬으로 후쿠에로 통근하는 직장인과 통학하는 학생이 많다고 합니다. 태풍으로 배가 출항하지 못하면 출퇴근이나 등하교에 발이 묶여 버립니다. 학교도 초등학교의 분교 단 하나여서 중학교를 다니려면 아예 외지로 나가거나 후쿠에로 통학을 해야 합니다. 타노우라에서 도움을 준 여성이 학교에 볼 일이 있어 왔다고 했는데 아마 이 분교에 일이 있었던 모양입니다. 노인은 사망하고 외지로 나간 젊은이들은 돌아오지 않으니 섬의 인구가 줄어드는 것은 당연지사란 생각이 들었습니다. 방문객을 위한 식당 하나 없습니다. 그래도 예전에는 이 정도까지는 아니었다는 이곳에서 나고 자란 토박이 중년 기사의 말에 쓸쓸함이 묻어납니다.

좁은 도로와 산속의 비포장 길을 40분 넘게 이동하여 큐쿄린교회가 보이는 주차장에 도착했습니다. 주차장이라고는 해도 숲을 깎아 평평하게 만든 작은 공터입니다. 교회까지 차량 접근이 불가하여 이곳에 주차를 하고 산길을 또 500미터 정도 걸어 내려가야 합니다. 큐쿄린교회가 있는 잠복 키리시탄 마을은 타노우라 선착장 정반대 방향의 해안가에 위치해 있습니다. 열도의 다른 섬과 내지에서 이주해 온 잠복 키리시탄들이 교회당을 세웠습니다. 쿄린교회五輪教會입니다.

76

처음에는 타노우라 방면의 하마와키浜脇 마을에 세워졌다가 지금의 자리로 옮겨왔습니다. 새로운 쿄린교회를 옆에 세우고 구분을 위해 원래의 쿄린교회를 큐쿄린교회, 새로지은 교회는 그냥 쿄린교회라 명명했습니다. 두 교회는 같은 장소에 나란히 붙어 있습니다.

큐쿄린교회에 도착하니 한 젊은이가 맞아줍니다. 관리인 겸 해설사입니다. 이 해설사 역시 후쿠에에서 출퇴근한다고 합니다. 오늘 방문객이 있으니 안내를 해 달라는 전화 연락이 있었다고 하는데 그 방문객이란 바로 필자였습니다. 타노우라 선착장 출발과 동시에 기사는 택시회사에 승객 픽업 및 출발 보고를 했고, 택시회사는 곧바로 해설사에게 연락하여 외국인 방문객이 있으니 안내와 해설을 준비해 달라고 요청해 놓았던 것입니다. 해설사는 격일로 출근하며 쿄린교회와 큐쿄린교회를 관리하고 방문객에게 안내와 해설을 해준다고 합니다. 그는 히사가시마의 잠복 키리시탄과 큐쿄린교회에 대해 풍부한 설명을 해 주었습니다.

'생명의 위협까지 감수하고 잠복하여 세습으로 신앙을 이어온 일본의 기독교가 오늘날 왜 이리 침체되었는가'라는 질문을 하자 예상하지 못한 질문인듯 잠시 당황하는 기색을 보였습니다. 알아보고 올테니 잠시 교회당을 둘러보며 기다려 달라고 합니다. 잠시후 돌아온 해설사의 답변은 이랬습니다. '1890년에 교육칙령敎育勅令이 발표되었는데 이는 신토神道의 천황을 중심으로 온 국민의 뜻을 하나로 뭉치자는 정부의 교육 지침이었다. 강제로 따라야만 하는 사회적 분위기에서 기독교를 믿는다는 것은 정부 정책에 반하는 행위로 간주되어 점차 교세는 약화되고 장기간에 걸쳐 고착화되며 오늘에 이르렀다'. 가장 일반적인 견해라고 합니다. 그 짧은 시간에 자료를 뒤져 보고 전문가에게 전화로 재확인까지 하고난 후의 답변이었습니다. 성실한 그의 해설이 고마웠고 그간의 의문도 어느 정도 풀어지는 것 같았습니다.

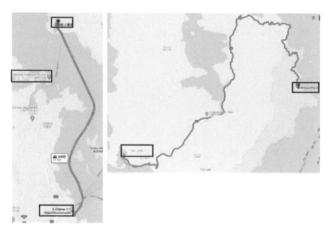

왼쪽은 후쿠에 페리터미널에서 히사가시마의 타노우라 선착장까지의 항로입니다. 소형 여객선으로 20분 정도 소요됩니다. 왼쪽 지도 가운데 빨간 네모 칸 위가 타노우라, 아래가 후쿠에, 가운데는 도자키 교회입니다.

오른쪽은 타노우라 선착장에서 큐쿄린교회까지의 육로로, 택시로 30여분 소요됩니다. 히사가시마를 횡단해서 타노우라 반대편 해안까지 가야합니다. 인구도 300명에 불과하고 큰 섬도 아니어서 도로 사정은 그리 좋지 않습니다. 아래는 타노우라 선착장입니다.

1881년 타노우라 방면의 하마와키 지역에 세워졌다가 1931년 현재의
장소로 이전했습니다. 현존하는 목조 교회 가운데 가장 오래된 교회
로, 일본 중요문화재 및 나가사키현 유형문화재로 지정되어 있습니다.
창문을 제외하면 전형적인 일본 전통식 가옥입니다. 히사가시마의 히
라야마 카메타라는 목수가 설계했습니다. 시간의 경과와 해풍으로 인
한 노후가 심각하여 해체 위기에도 놓였었지만 고토의 기독교 역사를
대변하는 대표 교회로서의 상징성이 있어 1984년 보수를 통하여 현
재까지도 원형을 유지한 채 남아있습니다.

큐쿄린교회는 노후된데다가 보존해야 할 국가 중 문화재로 지정되어 더 이상 예배를 행할 수 없었습니다. 새로운 교회를 필요로 하여 1985년 큐쿄린교회 바로 옆에 새로 쿄린교회를 지었습니다. 두 교회의 구분을 위해 원래의 쿄린교회를 큐쿄린교회, 새로 지은 교회를 쿄린교회라 부릅니다. 쿄린교회는 현대식 콘크리트로 새로 지어졌습니다.

외관과 내부 예배당은 35년이란 세월을 바다 바람을 맞으며 견디어 왔다는 사실이 믿어지지 않을 정도로 무척 깨끗하고 깔끔하게 관리되고 있습니다. 숲속 오두막이 연상될 정도로 작고 소박한 모습입니다.

왼쪽 큐쿄린교회, 오른쪽 쿄린교회. 가운데는 관리사무실.

숲속 주차장에서 내려 걸어가야 합니다. 교회 가는 바다 옆 오솔길. 멀리 교회들이 보입니다.

친절하게 안내해 준 관리인 겸 해설사. 필자는 여백 처리했습니다. 낙도의 역사 문화재를 지키는 대견한 젊은이입니다. 격일로 후쿠에 에서 출근하여 상주합니다. 교회들은 바다에 붙어 있어 거리가 10미 터도 되지 않아 보였습니다.

로우야노사코 순교기념성당

カトリック 牢屋の窄 殉**教** 記念聖堂

타노우라에서 승차한 택시는 오늘 하루를 대절한 것이라 여유가 있었습니다. 어차피 대중 교통이 없는 섬이니 방문객에게는 택시만이 유일한 이동 수단입니다. 후쿠에로 돌아가기 위해 타노우라 선착장으로 돌아오는 길, 기사는 카톨릭 로우야노사코 순교기념성당カトリック牢屋の窄殉教記念聖堂은 방문하지 않냐고 물어봅니다. 사실 그 성당은 알지 못하고 왔는데 히사가시마 성지 답사의 필수 코스라고 해서 들려 보았습니다. 기독교 탄압이 여전하던 메이지시대 초기 고토열도에서도 심한 박해가 행해졌습니다. 잠복중 발각되어 고문을 당한 여느 키리시탄과는 달리 히사가시마의 잠복 키리시탄들은 살벌한 금교 시대임에도 불구하고 키리시탄임을 숨기지 않아 순순히 체포되어 감옥에 갇히고 고문을 당했습니다. 이들 교인 200명을 6평의 감옥(로우야노사코)에 투옥하여 8개월 동안 가두고 매일 가혹한 고문을 가했습니다. 얼마나 심한 고문이었는지 무려 5분의 1에 해당하는 39명이 옥중에서 사망했고 출옥후에도 고문 후유증으로 사망한 사람이 3명이나 되었습니다. 1873년 기독교 금교정책이 해제되자 키리시탄 주민들이 합심하여 이 일대를 성역화하여 순교의 고귀함을 기억하고자 순교기념교회를 지었고 순교비를 세웠습니다. 사전에 미처 로우야노사코를 알지 못해 당초 일정에 방문 계획이 없었는데 성지 답사라는 히사가시마 방문 목적을 알게 된 기사가 알려주고 안내해 준 것입니다.

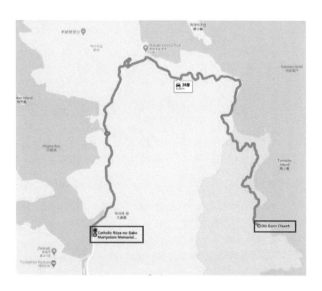

알려주지 않았더라면 모르고 지나쳤을 로우야노사코 순교기념성당입니다. 산길을 구비구비 돌아 나온뒤 도로를 따라 타노우라 선착장 방면으로 가는 길에 위치합니다. 기념성당 정문에 있는 석탑石塔, 동판銅版에 '순교殉敎의 땅', '좁은 감옥'이라 씌여진 입구 표지석이 있습니다. 고문과 순교가 연상되어 자못 숙연해집니다.

위 지도 왼쪽 네모칸이 로우야노사코 순교기념성당, 오른쪽이 큐쿄린교회입니다.

위 사진은 바다가 보이는 산 가슭에 위치한 로우야노사코 순교기념성
당이고, 아래 사진은 교회에서 바라본 정면 풍경입니다.

언덕에 위치하여 조금 걸어 올라가야 합니다. 안내판을 바라보고 있는
사람이 오늘 안내원이 되어 준 택시 기사입니다. 그가 알려주지 않았
더라면 로우야노사코를 그냥 지나칠 뻔했습니다. 예전 감옥 바로 그
자리에 순교를 기리고 기념하기 위해 1969년 기념교회를 지었습니다.
이후 점차 노후되어 철거하고 1985년 새로 지어 오늘에 이릅니다. 철
거하지 않고 보존했더라면 좋았을 것이란 생각이 들었습니다.

영내에 있는 '신앙의 탑' 입니다.

모진 고문 끝에 순교한 히사가시마 키리시탄의 신앙을 기리는 의미로
세운 탑입니다. 메이지 원년인 1868년 히사가시마에 박해의 광풍이
불었습니다. 역사에 '고토 박해'라 기록되어 있는 사건입니다. 이곳
키리시탄은 숨지 않고 스스로 키리시탄임을 공개해 고문과 처벌을 자
초했습니다. 다다미 12장 크기의 감옥에 200여명을 감금하고 고문했
다고 합니다. 다다미 한장의 크기가 90cmX180cm니 12장이면 20㎡도
되지 않는 비좁은 공간입니다.

위는 '히사가시마 카톨릭 신도 감옥의 터'란 이름으로 위령비가 세워져 있는 사진이고, 아래는 터의 표지석입니다. 위령비에는 요한복음 12장 24절 말씀 '하나의 밀이 땅에 떨어져 죽으면 많은 열매를 맺느니라' 가 새겨져 있습니다. 땅에 떨어져 죽은 밀이 바로 이곳에서 순교한 키리시탄들이란 생각이 들었습니다. 체포된 키리시탄이 갇혔던 감옥은 크기 1.6㎡의 다다미 한 장의 공간에 17명이 있어야 하는 넓이로, 눕기는커녕 제대로 앉을 수도 없는 비좁은 공간이었습니다. 여기서 하루 한끼 부실한 식사로 연명했고 배변도 이루어졌습니다. 감금된 상태 자체가 고문이었던 것입니다.

하마와키교회 浜脇教會

택시기사는 이어 하마와키교회浜脇教會로 안내해 주었습니다. 하마와키교회역시 당초 일정에는 방문 계획이 없던 곳입니다. 성지 답사 왔다면 꼭 방문해 봐야 하는 교회라는 기사의 말을 따르기로 했습니다. 어차피 타노우라로 가는 길에 있습니다. 하마와키교회에서 타노우라 선착장까지는 걸을 수 있을 정도의 거리라 택시를 보내고 교회를 살펴보았습니다.

1873년 금교 정책이 폐지되며 드디어 종교의 자유를 획득한 키리시탄 주민들이 1881년 목조 건물로 지은 '쿄린교회'를 기원으로 합니다. 심한 해풍과 잦은 태풍으로 건물이 노후된데다 출석 교인이 계속 증가하여 큰 교회당 신축이 필요하게 되었습니다. 작은 옛 목조 건물 교회를 쿄린 지역으로 옮기고 하마와키 지역에 새로운 교회를 건축했습니다. 옮겨진 목조 교회가 현재의 큐쿄린교회고, 새로 지은 교회당이 지금의 하마와키교회입니다. 해풍에 강한 튼튼한 철근 콘크리트로 1931년 건축하여 고토열도 최초의 콘크리트 교회가 되었습니다.

다시 비가 내리기 시작한데다 후쿠에향 여객선 출발 시간까지 여유가 있어 하마와키교회 예배당에서 차분히 앉아 기다리며 이 낙도에서 행해진 키리시탄의 고난을 다시 되새겨 보았습니다. 히사가시마의 키리시탄에게 하나님을 믿는다는 것은 결코 부끄러운 죄가 아니었고, 오히려 축복으로 여겨졌습니다. 하나님의 자녀가 되었다며 감사해했습니다. 그래서 떳떳하게 키리시탄임을 밝힐 수 있었고 모진 고문과 순교를 감내할 수 있었습니다.

1789년에서 1801년까지 오무라번에서 많은 키리시탄이 이주하여 고토 열도의 작은 섬에 분산되어 신앙을 지키고 있었습니다. 1865년 나가사키 오우라교회에서 있었던 신도발견사건 소식이 고토열도까지 전해졌습니다. 서양 선교사를 간절히 만나고 싶어하던 신자들은 나가사키까지 가서 프띠장신부를 직접 만나 가르침을 받고 돌아왔습니다. 그들의 신앙심은 더욱 깊어져 키리시탄임을 숨기지 않았고 이는 로우야노사코 순교사건으로 확대되었습니다. 신자들은 1881년 현재의 큐쿄린교회를 건축했고, 1931년 기존 큐쿄린교회를 다른 곳으로 옮기고 이 하마와키교회를 건축했습니다.

※ 원래의 하마와키교회 → 장소 이전하여 지금의 큐쿄린교회,
　지금의 하마와키교회는 원래 큐쿄린교회가 있었던 하마와키 지역에 신축.

교회는 깔끔하고 깨끗하게 관리되고 있습니다. 견학하는 사람들이 많은지 예배당 문은 개방되어 있고, 교회 관계자들도 미소로 인사를 건넵니다. 기존 교회의 노후화와 신자 수 증가에 따라 교회를 새로 지었지만 정작 현대에 들어서는 섬의 인구 감소와 함께 출석 교인 수는 오히려 줄어들 었습니다. 지금도 매주일 예배가 행해지고 있지만 섬 전체 인구가 300명에 불과해 정기적으로 예배에 참석하는 신자는 그리 많지 않다고 합니다. 완공 이래 몇차례 개보수를 거쳤지만 1931년에 지어진 건물이라 믿기 어려울 정도로 깨끗하고 단정한 모습을 간직하고 있습니다.

나루시마 (奈留島)

나루시마奈留島로

하마와키교회에서 10분 정도 걸어 내려오니 타노우라 선착장이 나왔습니다. 정시에 도착한 소형 여객선을 타고 후쿠에로 복귀했습니다. 다음 목적지 나루시마奈留島까지 이동할 계획으로 미리 시간 계획을 수립해 두었습니다. 호텔에 맡겨 두었던 가방을 찾고 후쿠에항에서 나루시마향 여객선에 올랐습니다. 이제 고토 열도 일주 답사의 첫 방문지 후쿠에와 히사가시마를 떠납니다.

후쿠에시마, 히사가시마에 이은 목적지 나루시마는 유네스코 세계문화유산 12개 구성 자산중 하나인 에가미천주당江上天主堂과 에가미마을江上集落터가 있는 곳입니다. 후쿠에시마에서 나루시마까지는 중형 여객선으로 한 시간이 채 걸리지 않습니다. 나루시마 페리터미널에 도착하니 잠시 그쳤던 비가 다시 부슬부슬 내리기 시작합니다. 시간은 어느덧 길고 길었던 여름 낮이 어두워지기 시작하는 시간이 되었습니다. 페리터미널 안내소에서 팜플렛부터 챙기고 숙소를 찾아 나섰습니다. 전날 후쿠에 여행사의 나카무라씨가 음식 좋기로 소문난 곳이라며 예약해 준 료칸형旅館形 민숙民宿 후쿠요시 료칸福良旅館입니다. 안내소 직원에게 후쿠요시 위치와 가는 길을 물어보니 잘 알고 있었습니다. 퇴근 준비를 하는듯 보이던 안내소 직원은 료칸의 위치는 찾기 쉽지 않은데다 비까지 내리니 자신의 차로 데려다 주겠다고 합니다. 고토열도 답사 여행중 느낀 것인데 이곳 사람들은 내지 사람에 비해 눈에 보이는 친절함은 많이 떨어지는 편입니다만 무뚝뚝해 보여도 내면에는 친절함과 배려심이 큰 것은 분명해 보였습니다. 여행 중 예상하지 못한 도움을 많이 받았습니다. 페리터미널에서 료칸까지 거리는 그리 멀지 않았지만 료칸이 위치한 동네의 골목길이 좀 복잡했습니다. 료칸에 도착하고 보니 주택가 한 가운데 있어 찾기가 쉽지 않아 보였습니다. 빗 속, 어두워지는 시간에 혼자 찾았더라면 한참 헤맸을 길입니다. 민숙은 상호대로 료칸이라 부르기에 많이 부족하지만 갖출 것은 다 갖추어 놓았습니다. 체크인을 하고 땅거미가 이미 내려 앉았지만 마을을 둘러보기로 했습니다. 평범한 어촌 마을로 보이지만 150년전 키리시탄이 들어와 기독교 마을을 이루고 살았던 곳입니다. 이미 어두워져 에가미천주당은 다음날 보기로 하고 료칸으로 돌아왔습니다. 저녁은 나카무라씨 애기대로 훌륭했습니다. 비시즌이라 그런지 조석식이 포함된 숙박료도 매우 저렴했습니다. 료칸 주인은 노부부였는데 남편이 요리 담당으로 보였습니다.

고토열도의 정중앙에 해당하는 섬이 나루시마입니다. 나루시마를 포함, 남쪽의 히사가시마, 후쿠에시마를 시모고토라 부르며 행정구역상 나가사키현 고토시입니다. 북쪽 와카마쓰시마, 나카토리시마를 카미고토라 부르며 나가사키현 신카미고토정입니다.

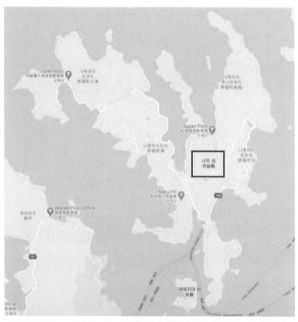

나루시마항 페리터미널에 설치된 '세계유산 전시코너' 입니다.
내부를 예배당처럼 꾸며 놓았습니다. 세계유산 관련 설명문과 함께
주로 사진 자료가 전시되어 있습니다.

음식 사진은 잘 찍지 않는 편인데 저녁상이 썩 마음에 들어 찍어 보았습니다. 후쿠에의 나카무라씨에게 들었던 그대로 음식이 매우 뛰어납니다. 샐러드, 회, 생선 구이, 새우 튀김, 굴 튀김, 소라, 치킨 카라아게, 감자와 고기 조림, 낙지와 밑반찬, 미소시루와 디저트 등 풍성한 음식으로 구성되어 있습니다. 과식하기 딱 좋은 메뉴와 양입니다. 맛도 결코 떨어지지 않습니다. 일본은 다른 것은 몰라도 밥 인심만큼은 후해서 식당 한켠에 아예 밥통을 두어 밥은 마음껏 먹을 수 있도록 했습니다. 낙도의, 언뜻 허름해보이기까지 한 료칸에서 이런 훌륭한 식사를 하게 될 줄은 몰랐습니다. 아침상은 간소합니다.

2식 포함 민숙 료칸 요금이 7,700엔으로 무척 저렴했습니다. 시간이 많았다면 더 머물고 싶을 정도였습니다. 부랴부랴 민숙을 나와야 했지만 주인 할머니가 챙겨주는 이 곳 특산 동백기름을 감사하게 받았습니다.

불발된 에가미천주당江上天主堂과 에가미마을江上集落 답사

다음날 아침 일찍 일어나 에가미천주당江上天主堂 방문 채비를 하고 있는데 전화벨이 울립니다. 주인 할아버지의 다급한 목소리가 수화기 너머로 들려옵니다. 태풍으로 인해 지금 출항하는 배를 마지막으로 언제 다시 출항할지 모른다는 주민 방송이 계속 반복되고 있다고 합니다. 예전 우리나라 농촌 마을에 있었던 마을 스피커가 이 어촌 마을에도 있습니다. 아무래도 날씨에 민감한 섬 마을이다 보니 신속한 상황 전파를 위해 주민 방송이 필요할 것입니다. 짧은 시간에 많은 생각이 스쳐갔습니다. 지금 여객선을 탈 것인지, 아니면 언제가 될지 모를 다음 출항 재개까지 무한정 기다릴 것인지 결정해야 합니다. 에가미천주당을 방문하기 위해 바로 코앞까지 왔는데 포기해야만 하는지, 아니면 악천후 속에 천주당을 보는 대신 언제 출항할지도 모르는 여객선을 하염없이 기다려야 하는지… 고민 끝에 결국 전체 답사 일정을 고려해 여객선을 타기로 했습니다. 부랴부랴 서둘러 현관으로 나오니 무뚝뚝하던 주인 할아버지가 차를 대문에 대기시켜 놓고 기다리고 있습니다. 몇초라도 시간을 줄일 요량인지 대문 앞에 정차시키고 차 문까지 미리 열어 놓았습니다. 차에 오르자마자 세찬 비 바람을 뚫고 급하게 터미널로 향합니다. 승선과 동시에 여객선은 출발했습니다. 비 바람은 더욱 거세 지고 파도가 무척 큰 것으로 보아 걱정하던 태풍이 가까이 다가오는 것이 맞는 것같습니다. 나루시마까지 갔으나 에가미천주당을 보지 못한 것은 너무나도 아쉬운 일이 아닐 수 없습니다.

18세기에서 19세기에 걸쳐 내지 소토메外海 지역 잠복 키리시탄의
고토열도로의 이주가 많았습니다. 일단 나루시마 부근의 무인도에서
생활하다가 나루시마로 들어와 섬 각지에 흩어져 살았습니다.

잠복 키리시탄 4가족이 이주한 에가미江上 지역은 기존 주민 거주지
와 멀리 떨어진 곳이고 바다에 가까웠습니다. 당시 주민들은 대부분
불교신자였습니다. 이주한 키리시탄들은 직접 땅을 일구어 밭으로
만들어 경작을 시작했습니다. 점차 농업과 어업을 주업으로 하며 마
을을 형성해 나갔습니다. 이들은 가정내에서 비밀리에 기독교 신앙
을 유지하다가 기독교 해금후 오무라번大村藩에서 이주해 온 키리시
탄과 함께 예배당을 짓기 시작했습니다. 아무래도 낙도다 보니 교회
건축이 용이하지 않았습니다. 1906년 주민들의 헌금과 노동력으로 예
배당을 지었고, 다시 1917년 테츠카와 요스케의 설계로 짓기 시작하
여 1918년 완공했습니다. 대부분 주민들이 잡은 멸치를 팔아 얻은
수익에서 비용을 충당했다고 합니다.

악천후로 직접 방문이 불발되어 이후의 에가미천주당 사진 자료는
고토시 제공 자료를 사용합니다.

숲속에 자리잡은 에가미천주당江上天主堂입니다. 수줍은 시골
소녀가 연상됩니다. 소박한 모습입니다.

일본의 목조 성당 건물 가운데 완성도가 가장 높은 교회 건축물
로 평가받고 있습니다. 국가 중요문화재로 지정되어 있으며
2018년 에가미천주당을 중심으로 형성된 에가미마을과 함께 유
네스코 세계문화유산으로 지정되었습니다.

교회 정면에 '에가미'를 생략하고 '천주당'으로만 표기되어
있습니다.

부근에 용천수가 분출되는 숲속에 위치한 관계로 습기에 의
한 훼손을 방지하고자 지면에서 띄워 건물을 올렸습니다. 통
풍구도 별도로 만들었습니다. 에가미마을 대부분의 가옥들은
이와 같이 건물을 띄운 형태로 지면 습기를 방지했습니다.

교회 내부 예배당

주목의 내부 기둥
꽃 모양의 스테인드글라스

에가미 잠복 키리시탄 마을입니다.

이주해온 잠복 키리시탄들은 이주 초기 기존 마을 주민들과 멀리 떨어져 살았으나 후에 불교에서 기독교로 개종한 주민들과 함께 같은 마을에 살게 되었습니다.

앞에 바다가 있고 뒤에는 큰 계곡이 있습니다. 만灣 형태의 지형입니다.

에가미마을 1961년

에가미소학교(초등학교) 1975년

에가미천주당과 함께 나루시마의 기독교 신앙을 든든히 지켜온
나루교회余留教會입니다. 에가미마을에 에가미천주당이 세워졌고,
슈쿠와宿輪마을의 키리시탄들은 1926년 나루교회를 세웠습니다.
1959년 태풍으로 완전 소실의 위기에 처하자 기존 교회를 해체
하고 1961년 새로운 교회를 건축했습니다. 오늘의 교회는 1961
년 완공된 교회입니다.

와카마쓰시마(若松島)와 나카토리시마(中通島)

고행의 길 -
와카마쓰시마若松島를 관통하여 나카토리시마中通島로

나루시마에서 간발의 차로 승선한 여객선은 바다를 건너 와카마쓰若松 페리 터미널에 도착한 후 결국 태풍으로 인해 다시 출항하지 못하고 정박했습니다. 오늘 목표는 나카토리시마中通島 신카미고토新上五島의 아리카와有川, 욕심 내면 오지카시마小値賀島까지인데 태풍으로인해 어찌될지 모릅니다. 원래 일정은 나루시마에서 직접 나카토리시마 아리카와로 이동하는 것인데 태풍으로 더 이상 가지 못하고 당초 계획에도 없던 중간의 와카마쓰로 온 것입니다. 하지만 정말 다행으로 와카마쓰시마와 나카토리시마는 해상 다리로 연결되어 있어 육로 이동이 가능했습니다. 다리가 없었더라면 꼼짝없이 와카마쓰시마에서 발이 묶일 뻔했습니다.

나카토리시마에는 유네스코 세계문화유산으로 지정된 12개 구성 자산중 하나인 카시라카지마천주당頭ヶ島天主堂과 잠복 키리시탄 마을이 있어 필수 답사지입니다. 나카토리시마 아리카와항에서는 다음 목적지 오지카시마까지 여객선으로 연결됩니다. 이제는 와카마쓰시마에서 바다를 건너 나카토리시마로 가야 하고, 또 바다를 건너 오지카시마로 가야합니다. 나카토리시마에서는 카시라카지마천주당을 답사해야 합니다.

태풍속에 겨우 도착한 와카마쓰 역시 태풍의 영향으로 세찬 비바람이 몰아치고 있습니다. 우산은 무용지물이고 시야조차 제대로 확보되지 않습니다. 세찬 비바람 속 그렇지 않아도 버거운 일정인데 태풍으로 상황이 또 어떻게 변할지 모릅니다. 와카마쓰 페리터미널에서 노선버스를 탔습니다. 다행히 대중교통편은 여객선과 노선버스간, 각각 행선지가 다른 노선버스와 노선버스 간 시간을 맞추어 연계시켜 놓아 대기 시간이 짧습니다. 여행자에겐 시간 손실이 발생하지 않는 효율적인 시간표입니다. 양동이로 퍼붓는 듯한 비바람 속에 세번이나 노선 버스를 갈아타며 와카마쓰若松→시로우오白魚→아오가타青方→아리카와有川 순으로 이동했습니다. 태풍을 만나지 않았더라면 나루시마에서 여객선으로 편안히 올 수 있는 아리카와를 정말 고생에 고생을 거듭해 겨우 닿았습니다. 세찬 비바람이 그치질 않아 온몸이 흠뻑 젖었습니다. 모두 자청한 고생이고 고행입니다.

와카마쓰시마는 나카토리시마와 별개의 섬인데 거리가 길지 않아 시로우오까지 해상 다리로 연결되어 버스 이동이 가능합니다. 잠시나마 태풍 속에 바다 위를 건너니 무섭기도 합니다. 우여곡절 끝에 1차 목적지 아리카와까지 왔습니다. 아리카와 페리터미널에 하차하니 일단 안도의 한숨부터 나옵니다. 이동하다 보니 어느덧 비도 많이 잦아 들었습니다. 교회가 정말 많이 보였는데 대형 교회는 보이지 않고 오밀조밀한 작은 교회가 많이 보였습니다. 교회 건물 보다는 신앙을 지켜온 키리시탄의 믿음이 더욱 중요하지만.

와카마쓰시마若松島와 나카토리시마中通島를 연결하는 와카마쓰대교若松大橋 13년의 공사 기간을 거쳐 1991년 완공된 522미터 길이의 해상 교량입니다. (신카미고토정 제공 자료)

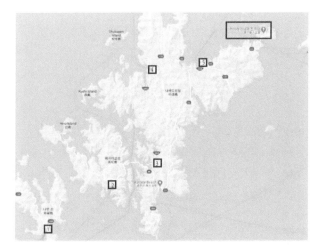

아래부터 위로 이동했습니다. 차례로 (1)나루시마항, (2)와카마쓰항, (3)시로우오, (4)아오가타, (5)아리카와, 맨 위 카시라카지마천주당.

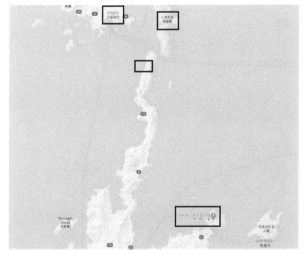

위부터 아래로 오지카시마, 노자키시마, 쓰와자키, 카시라카지마 천주당

107

친절한 안내소 직원의 도움으로 오지카시마小値賀島까지

아리카와 페리터미널에 도착하여 관광안내소부터 찾았습니다. 다음 목적지 오지카시마小値賀島까지의 이동편을 알아보니 예상대로 태풍으로 인해 여객선 운항 전면 중지라고 합니다. 천재지변이니 어쩔 도리가 없습니다. 아리카와에서 발이 묶여 버리면 계획에 큰 차질이 생기고 맙니다. 아니면 말고 식으로 안내소 직원에게 정말 다른 방법은 없겠는지 알아봐 달라 부탁해 보았습니다. '안될건데...'라 말하는 듯한 표정이 스쳐 지나갔습니다. 직원은 해상海上택시도 운항 중지인지 한번 알아나 보겠다며 어딘가 전화를 해보더니 연한 미소를 지으며 오후 한차례 운항한다는 반가운 소식을 전해줍니다. 중대형 여객선이 운항 중지인데 작은 해상택시가 운항 한다니 좀 의아스럽기는 했지만 안전 강국 일본을 믿고 과감히 타보기로 했습니다. 오지카시마까지 갈 수 있다는 기대감이 커져 왔습니다.

일반 택시로 나카토리시마의 최북단 쓰와자키津和崎까지 간 다음 그곳에서 해상택시를 타는 방법입니다. 지도를 보니 아라카와 페리터미널에서 만만치 않은 거리입니다. 어떻게 할거냐는 안내소 직원 스즈키鈴木씨의 질문에 오지카시마까지 가겠다는 대답과 함께 아예 필요한 부분까지 예약을 부탁해 보았습니다. 스즈키씨는 아리카와 페리터미널에서 카시라카지마천주당까지의 택시, 페리터미널에서 해상택시 출발지 쓰와자키까지의 택시, 쓰와자키에서 오지카시마까지의 해상택시 등 교통편 모두를 예약해 주었습니다. 어차피 큰 도움받았으니 내친 김에 안면몰수하고 오지카시마의 숙소 예약도 부탁했습니다. 오지카 페리터미널 주변에 민숙民宿이 많이 있다며 안내자료를 보여주며 정해보라고 합니다. 깔끔해 보이는 외관의 민숙으로 정했습니다. 안내와 예약에 정말 큰 도움을 준 고마운 스즈키씨입니다. 악천후 속 분투하며 흠뻑 젖은 외국인 여행객이라 불쌍해 보였을지도 모릅니다. 연신 미안하고 고맙다는 감사의 인사를 하자 스즈키씨는 여행객을 돕는 것이 자신의 일이라며 웃음으로 대답합니다. 일이라고는 하지만 과하다고 느껴질 정도로 잘 해준 것을 모르는 바 아니었습니다. 어쩌면 너무 다급한 나머지 뻔뻔해졌을 수도 있었겠습니다. 아리카와의 스즈키씨는 후쿠에의 나카무라씨와 함께 이번 답사에서 가장 큰 도움을 준 고마운 직원입니다.

쓰와자키까지의 택시비는 1,050엔, 해상택시로 오지카항까지도 1,050엔이라고 합니다. 교통비가 비싸기로 유명한 일본에서 이동 거리를 감안하면 이해가지 않는 저렴한 요금입니다. 모든 예약을 완료하고나니 든든해졌습니다. 홀가분한 마음으로 이미 대기중인 택시를 타고 카시라가지마천주당으로 향했습니다. 카시라가지마천주당은 아리카와 페리터미널에서 상당히 먼 거리에 있습니다. 렌터카가 아니라면 택시가 가장 효율적인 이동 수단입니다. 버스가 없는 것은 아니겠지만 천주당을 답사하고 해상택시를 타야 하기에 무엇보다도 시간이 중요했습니다. 그나마 해상택시마저 끊긴다면 사면초가의 상황으로 몰릴 수도 있습니다.

택시, 렌터카, 버스, 자전거 어느 수단으로 이동하던 천주당까지는 직접 갈수 없고 환승 주차장에 하차하여 천주당을 왕복하는 셔틀버스로 갈아타야합니다. 천주당까지는 일반 차량이 들어갈 수 없습니다. 카스라카지마는 나카토리시마에서 떨어진 별개의 섬인데 해상 교량인 카스라카대교頭ヶ人橋로 연결되어 육로 이동이 가능합니다. 정신없이 이동하다 보니 점심조차 먹지 못했습니다. 신카미고토는 일본의 3대 우동이라 불릴 정도로 손꼽히는 우동의 고장이라고 하는데 제대로 맛보고 오지 못한 것이 내내 아쉽습니다.

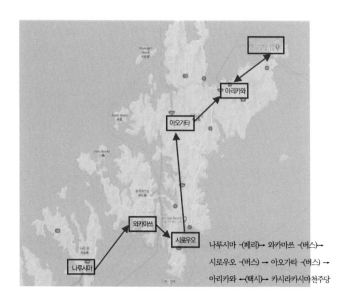

나루시마 -(페리)→ 와카마쓰 -(버스)→
시로우오 -(버스) → 아오가타 -(버스) →
아리카와 ←(택시)← 카시라카시마천주당

아리카와 -(택시)→ 쓰와자키 - (해상택시)
→ 오지카항

천신만고 끝에 도착한 아리카와항에서 바라본 신카미고토 풍경

버스 환승지 아오가타(青方)에서 버스를 기다리던 대합실입니다.
역시 교회가 많은 지역이라 그런지 수녀님이 많이 보였습니다.
아오가타 역시 페리터미널이 있는 교통의 요지입니다. 일반 버
스와 연계되어 있습니다.

태풍으로 답사가 불발된 카미고토 와카마쓰시마 해상 바위섬에 있는 '키리시탄 동굴' 입니다. 1868년 박해를 피해 도망온 키리시탄 4가족 8명이 3개월간 숨어 지낸 곳입니다. 모닥불이 발견되는 바람에 발각되어 체포된 후 심한 고문을 당했습니다. 동굴 내부는 의외로 넓어 사람이 거주할 수 있다고 합니다. 패키지나 해상택시를 이용해 갈 수 있으며 상륙도 가능하지만 태풍으로 인해 방문할 수 없었던 것이 많이 아쉽습니다.

1967년 높이 4미터의 십자가와 3.6미터의 예수상이 세워지고 그 앞에서 년 1회 예배가 진행되고 있습니다. (고토시 제공 자료)

키리시탄 동굴 옆에 있는 '하리노멘도針の穴(ハリノメンド). '하리'는 바늘針이란 뜻이고 '멘도'는 고토 방언으로 구멍穴을 뜻하니 하리노멘도는 '바늘 구멍'이란 뜻이 됩니다. 구멍의 형태가 아기 예수를 안고 서있는 성모 마리아를 닮았다고 하여 해상 기도가 많이 올려진다고 합니다. 아래 사진과 함께 고토시 제공 자료입니다.

하리노멘도와 키리시탄 동굴앞 예수상

카시라카지마천주당頭ヶ島天主堂

아리카와有川 페리터미널에서 카시라카지마천주당頭ヶ島天主堂은 택시로 다녀오기로 했습니다. 환승 주차장과 교회를 오가는 셔틀버스 시간표는 기사가 모두 외우고 있는듯 셔틀버스 출발 5분전 환승 주차장으로 데려다 줍니다. 카시라카지마천주당은 아리카와 페리터미널 오른편 카스라카지마頭ヶ島의 해안가에 위치합니다. 고토열도의 유네스코 세계문화유산 구성 자산인 히사가시마의 큐쿄린교회, 나루시마의 에가미교회, 그리고 이 카시라카지마천주당 모두 해안가에 위치합니다. 카시라카지마천주당은 고풍스러운 석조 건물로 천주당 건물 자체가 문화재로 지정되어 있습니다. 다른 고古 교회와 마찬가지로 키리시탄의 공동 묘지가 조성되어 있으며, 사택으로 사용되었음직한 별채는 자료관으로 이용되고 있습니다. 다른 관람객과 같이 해설사의 설명을 들으며 교회를 답사했습니다. 외관 촬영은 문제가 없으나 내부 촬영은 엄격히 금지되어 있습니다. 개별 관람은 허락되지 않으며 반드시 해설사를 따라다니며 설명을 들어야 합니다.

카시라카지마에는 4개의 잠복 키리시탄 마을이 있었습니다. 하마토마리浜泊, 시라하마白浜, 타지리田尻, 후쿠우라福浦 마을이 그곳입니다. 카시라카대교로 연결되는 나카토리시마의 토모스미友住 마을까지 합하면 5개가 됩니다. 큐슈 본섬의 나가사키 소토메와 오무라 지역의 잠복 키리시탄들이 카시라카지마로 들어와 그들만의 신앙 공동체를 이루어 살았고, 섬의 채석장에서 채굴된 사암沙岩을 이용하여 카스라카지마천주당을 지었습니다. 화강암인줄 알았던 벽돌은 사암이었습니다.

114

위 지도 왼쪽 네모칸이 아리카와 페리터미널, 오른쪽이 카시라카지마 천주당입니다. 카시라카지마천주당과 잠복 키리시탄 마을이 있는 카시라카지마는 나카토리시마과 떨어져 있는 별개의 섬입니다. 거리가 그리 길지 않아 카시라카대교로 연결되어 왕래는 용이합니다. 아리카와 페리터미널에서 자동차로 30분 정도 소요됩니다. 아리카와 페리터미널은 나가사키와 사세보로 연결되는 정기 여객선이 있어 내지 연결이 원활한 편입니다. 신카미고토는 정町 단위의 행정 구역이지만 고토시市에 비해 좀 더 활기차게 보였습니다.

카시라카지마천주당은 1910년 오사키신부의 주도로 이곳 신카미고
토 출신인 테츠카와 요스케가 설계한 석조 건물입니다. 건축 자금난
으로 인해 두번의 공사 중단을 거쳐 1919년 완공되었습니다. 화강암
으로 지은 것으로 보이는 건물은 카시라카지마에서 직접 채석한 사
암砂岩입니다. 생각보다 많이 단단합니다. 고토열도는 물론 나가사키
에서 기술자가 파견되어 지어졌으며, 마을의 키리시탄 주민도 합심
하여 함께 지었습니다. 석조 건물로 강인한 인상을 줍니다. 국가 지
정 중요문화재로 지정되어 있습니다.

116

고토열도 제공 자료입니다. 아무래도 홍보용으로 촬영한 것이라 상태가 좋아 실어 보았습니다. 포스터는 아리카와 페리터미널에 게시되어 있습니다.

위 사진은 카시라카지마천주당, 아래 사진 카시라카지마 마을 시라하마 지역입니다.

해설사가 있어 교회에 대한 설명을 해줍니다. 설명은 실내 예배당까지
이어지며 제공되는데 실내 사진 촬영은 불가하여 신카미고토정 제공
자료를 싣습니다. 실제 예배가 드려지던 예배당이었는데, 현재는 국가
중요문화재로 지정되어 보호 관리 받고 있어 예배가 행해 지지는 않습
니다. 신카미고토정 제공 자료입니다.

118

교회는 바다를 굽어보며 산 기슭에 위치하고 있습니다. 교회 앞의
가옥들은 예전 키리시탄 마을 시절때의 가옥들로 교회와 함께 잘
관리되고 있습니다. 아직도 실제 거주하는 가옥들도 있습니다.
1873년 기독교 해금 이후 양지로 나온 신카미고토의 키리시탄이 건
축한 교회는 35개에 달합니다. 이중 현존하는 교회는 29개입니다.
여느 오래된 교회와 마찬가지로 영내에 키리시탄 공동 묘지가 조성
되어 있습니다. 교회와 묘지 모두 바다에 면해 있습니다.

영내 뒷편에 위치한 고문에 사용되었던 석재. 무릎을 꿇려 놓고 이 돌을 무릎 위에 올려 놓았습니다. 무척이나 고통스러웠을 것입니다. '키리시탄 고문 오육석五六石의 탑'이라 씌여 있습니다. 오육석의 무게를 가늠해 보는 것은 쉽지 않아 보였습니다.

프랑스 선교사 브레루신부의 순교비.
브레루신부의 이름을 포함 좌우 각 6명의 이름이 씌여 있습니다.
세례명, 본명, 출신지, 순교시 나이가 표기되어 있습니다.

'고토 키리시탄 신앙부활 기념비' 입니다.
기독교 해금을 기념하기 위해 만든 청동 부조상으로 고토 키리
시탄 주민들과 서양 선교사들이 같이 축하하고 있는 모습을 묘
사하고 있습니다.

세례명 '도밍고'인 모리마츠 지로森松次郞의 순교 기념비가 영내
뒷편에 자리잡고 있습니다.

하늘에서 바라본 카시라카지마입니다. 빨간 원안의 다리가 카시라
카지마와 나카토리시마를 연결하는 해상 교량 카시라카지마대교입
니다. (신카미고토정 제공 자료)

카시라카지마교회가 있는 시라하마白浜마을. 카시라카지마의
잠복 키리시탄 마을중 가장 규모가 컸습니다.
신카미고토정 제공 자료

위는 1955년의 시라하마[白浜]
마을입니다. 반농반어의 생활
을 했습니다. 한때 제법 큰
규모의 마을이었으나 지금은
몇 채의 가옥만이 보존되어
잠복 키리시탄 마을이었음을
알리고 있습니다.

왼쪽은 시라하마마을에 있는
카시라카지마천주당. 지금도
원형 그대로 보존되어 있습
니다.

두 사진 모두 신카미고토정
제공 자료

위는 타지리田尻마을, 아래는 후쿠우라福浦 마을입니다.
옛 사진이지만 촬영 시기는 미상입니다.
신카미고토정 제공 자료

124

1960년 전후의 시라하마마을 풍경입니다.

전형적인 시골 마을의 모습입니다. 생활상이나 주민들의 옷차림이 빈곤한 낙도라는 선입견을 비웃듯 무척 양호합니다. 일본 경제가 고도 성장을 시작했을 당시에도 이곳 낙도의 키리시탄은 그들의 공동체 생활을 이어가고 있었습니다.

신카미고토정 제공 자료

타지리마을의 1950년대 중반 모습입니다. 주로 고구마 농사를
지었습니다. 양장의 외출복을 입고 가는 것으로 보아 주일 예
배에 참석하는 것으로 보입니다.
신카미고토정 제공 자료

오지카시마小値賀島로

카시라카지마천주당 답사를 마치고 셔틀버스 주차장으로 돌아와 대기중인 택시를 타고 아리카와 페리터미널로 돌아왔습니다. 여전히 안내소에서 근무하고 있던 스즈키씨에게 다시 한번 감사 인사를 하고 대기하고 있던 예약 택시를 탔습니다. '덕분에 좋은 여행이 되었습니다. 진심으로 감사드립니다'가 마지막 감사 인사였습니다. 택시로 이동중 성지 순례 여행객이 많은지 기사는 카시라카지마 지역 기독교에 관련한 설명을 해줍니다. 신카미고토에만 33개에 이르는 교회가 있다는 설명 그대로 이동중 차창 밖 곳곳에 교회가 보입니다. 서울의 한 동네에서 볼 수 있는 교회의 숫자를 훨씬 능가해 보입니다. 일본에 이런 고장이 있다니요!

그런데 분명 요금이 1,050엔이라 들었는데 한참을 갑니다. 출발한지 한 시간이 되도록 쓰와자키津和崎는 나오지 않아 내심 '이 정도 거리면 적어도 15,000엔은 족히 나오겠군' 하는 걱정어린 생각이 들었습니다. 미터기는 없습니다. 혹 잘못 들은 것은 아닌지, 예상치 못한 지출도 지출이지만 시간에나 맞출 수 있을지 내심 걱정도 됐습니다. 하지만 기사는 마치 속내를 들여다보고 있는 것처럼 '아직 시간 여유가 있다'면서 '성지 답사중이라니 이 교회만큼은 꼭 보여주고 싶다'며 도로변에 보이는 아오사가우라青砂浦교회에 정차합니다. 신카미고토 방문객에게 자신이 꼭 추천하는 교회라고 합니다. 테츠카와 요스케가 설계한 고풍스러운 붉은 벽돌의 교회입니다. 유네스코 세계문화유산 12개 구성 자산에는 포함되지 않지만 국가 지정 중요문화재로 등록되어 있습니다. 1910년 준공되어 벽돌 건물로는 초기에 지어져 이후

127

고토열도의 벽돌 교회 건축의 모델이 되었다고 합니다. 예배당은 닫혀 있어 내부는 보지 못했습니다. 예배당 안에 들어가 보려면 사전 신청을 하고 허락을 받아야 한다고 합니다.

다시 출발한 택시는 드디어 목적지 쓰와자키의 해상택시 선착장에 도착했습니다. 아리카와 페리터미널에서 교통 체증도 없이 한시간이 넘게 걸릴 정도로 먼 거리인데 요금은 들었던 대로 1,050엔입니다. 너무 저렴하다는 생각이 표정에 나타났는지 기사는 '신카미고토정 협정가로 인당 1,050엔'이라고 합니다. 정원 4명이 한 차를 타면 4,200엔이라는 예까지 들어줍니다. 사실 이 마저도 저렴합니다. 택시 이용률을 높이고자, 또 여행객의 편의를 위해 지자체인 신카미고토정에서 보조를 해주는 것은 아닌지 모르겠습니다. 그러지 않고서는 도저히 나올 수 없는 요금입니다. 아무리 적게 나와도 최소 15,000엔은 족히 나올 거리를 특별 요금제를 적용하니 여행자에게는 큰 도움이 아닐 수 없습니다.

쓰와자키는 오지카항과 연결되는 나카토리시마의 최북단 선착장으로, 북으로 길게 뻗은 반도의 북쪽 끝에 있으니 아리카와항에서는 멀어도 오히려 바다 건너 오지카항까지는 가까운 곳입니다. 선착장에 도착하니 세차게 부는 바람속에 흔들리는 작은 배 한척 위에서 무척이나 강인해 보이는 선장이 (이날은 해상택시 기사) 부지런히 로프를 정리하며 출항 준비를 하고 있습니다. 비는 여전히 흩뿌립니다. 바람도 세찹니다. 관광안내소, 택시 기사, 해상택시 기사가 실시간으로 상황을 공유하여 효율적인 연계 체제를 갖추어 놓았을 것입니다. 태풍이 몰고 온 세찬 비바람과 높은 파도, 하지만 이런 악천후 속 운명을 선장과 함께 작은 배에 맡겨야 합니다. 바람이 너무 센 탓인지 바닷가에 그 흔한 갈매기조차 한 마리 보이지 않습니다.

배에 올랐습니다. 반지하방 같은 선실에 앉아 있으라고 합니다. 승선객은 필자 단 한사람뿐입니다. 정박중인데도 배는 심하게 흔들립니다. 뱃일이 힘들어서인지 선실 한켠에 됫병 소주가 있습니다. 한국의 어선에도 소주 됫병이 필수로 있던 장면이 연상되었습니다. 좀 무섭게 보이는, 하지만 전형적인 바다 사나이로 보이는 선장은 거침없이 배를 몰고 나아가기 시작합니다. 비바람은 더욱 강해집니다. 얼마나 배가 상하좌우로 심하게 흔들리는지 벽에 붙은 철봉을 생명줄처럼 두손으로 꼭 움켜쥘 수밖에 없습니다. 어깨와 손목이 아픈 줄도 모르고 꼭 붙잡았습니다. 무서웠습니다. 선장말로는 25분 정도 걸린다는데 25분이 그리도 긴 시간인줄 처음 알았습니다. 요동치는 배로 선실내에 놓아둔 여행 가방도 덩달아 이리저리 사정없이 움직이며 춤을 춥니다. 몸이 휘청이는 것은 말할 것도 없습니다. 기관실을 흘깃 보니 선장은 담배까지 피워가며 여유있게 키를 잡고 있습니다. 그 모습에 오히려 안도감이 느껴졌습니다. 하지만 급기야 뱃속이 울렁거리며 멀미 기운이 올라옵니다. 몇해전 부관釜関페리로 부산에서 시모노세키下関로 갈 때 배 멀미로 얼마나 고생을 했는지 '다시는 일본에 절대 배는 타고 가지 않으리'라 다짐했던 것이 생각납니다.

해상택시는 요란한 기관 소리를 내며 세찬 파도에 몸을 맡기고 힘차게 나아갑니다. 아무리 힘들어도 사이카이西海 해상국립공원을 보는 것을 잊지 않습니다. 고토열도 전체가 사이카이 해상국립공원 지역입니다. 가는 길에 섬들이 꾸준히 보입니다. 큰 섬, 작은 섬, 바위섬과 기암 괴석이 하늘과 바다와 어우러져 아름다운 풍광을 자아냅니다. 태풍으로 잔뜩 흐려있는 하늘은 또다른 감흥을 연출합니다.

끝나지 않을 것만 같았던 항해는 정말 25분만에 바다를 건너 오지카 페리 터미널에 도착하며 끝이 났습니다. 하선하여 땅을 밟자 비로서 안도의 한숨이 절로 나옵니다. 약정가 1,050엔을 지불했습니다. 쓰와자키까지의 택시비,

오지카까지의 해상택시비가 각각 1,050엔으로 너무 싸서 미안할 정도였습니다. 필자를 내려준 해상택시는 주저함 없이 다시 거친 바다를 뚫고 온 길을 되돌아 쓰와자키로 향했습니다. 첫 해상택시 승선 경험은 몹시도 힘든 경험이 되었습니다. 언젠가 부득이한 사정이 생기면 또 타야 하겠지만 정말 이 날을 생각하면 해상택시는 다시 타고 싶은 생각이 없습니다.

오지카시마는 쉽게 문을 열어 주지 않았습니다. 고생의 대가를 톡톡히 지불하며 나루시마에서 출발하여 우여곡절 끝에 오지카시마의 땅을 밟았습니다. 꼬박 하루가 걸렸습니다.

택시 기사가 강력하게 추천한 아오사가우라교회靑砂浦敎會

이동중 틈틈이 찍어 본 사이카이西海 해상 국립 공원

아리카와 페리터미널은 깔끔한데다 규모도 큽니다. 내부에 고래 박물관을 비롯한 전시실이 있고 사카모토 료마坂本龍馬의 동상도 있습니다. 신카미고토에 교회가 많아 '신카미고토정 교회군'이란 이름으로 대형 지도에 교회 이름과 함께 위치를 표시해 두었습니다.

신카미고토 버스안에서 찍어 본 키리시탄 공동 묘역

위는 해상 택시 내부입니다. 편안히 눕기는커녕 제대로 앉아 있을 수조차 없습니다. 난간의 지지대 (쇠파이프)를 꼭 잡고 있어야만 했습니다.

아래는 목숨 걸고 해상택시로 건너온 오지카 페리터미널입니다.

오지카시마 (小値賀島)와 노자키시마 (野崎島)

오지카시마小値賀島

우여곡절 끝에 오지카小値賀 페리터미널에 도착하니 항구는 이미 폐쇄된 상태입니다. 그렇지 않아도 오가는 여객선편이 많지 않은데 그 여객선마저 태풍으로 입출항이 정지된 것입니다. 오지카시마에 온 목적은 유네스코 세계 문화유산 12개 구성 자산중 하나인 노쿠비교회野首教會를 방문하기 위함입니다. 노쿠비교회가 있는 섬 노자키시마野崎島는 무인도로 오지카시마 바로 옆에 있습니다. 오지카항에서 매일 오전, 오후 하루 두차례 운항하고 편도 30분이 소요됩니다. 만에 하나 오지카시마로 돌아오는 배를 타지 못할 경우 전문 숙박 시설은 아니지만 예전 학교 강당을 개조한 시설에 머물 수 있는데 이 경우도 예약이 필요합니다. 시설의 관리인은 상주합니다.

노자키시마를 방문하는 이유가 대부분 노쿠비교회와 잠복 키리시탄 마을이었던 노자키마을野崎集落터를 보기 위함인데 노자키시마를 방문하는 유일한 교통편이 오지카항에서 왕복하는 소형 여객선입니다. 노자키시마는 예전에 마을과 학교까지 있었던 유인도였지만 인구의 자연 감소와 외부 유출로 이제는 무인도가 되었습니다. 이 낙도에 노쿠비교회가 세워진 것은 노자키시마 주민 대부분이 잠복 키리시탄이었기 때문입니다. 기독교에 대한 가혹한 탄압과 박해로 많은 키리시탄은 고향을 떠나 타지로 피신하는 경우가 많았습니다. 키리시탄을 신고하면 포상금까지 주어질 정도로 신앙 유지가 힘들었습니다. 남의 눈에 띄지 않기 위해 내지의 깊은 곳이나 낙도를 택했습니다. 노자키시마를 포함한 고토열도 일대의 섬도 그 피신처가 되었습니다. 이 섬에서 그들만의 신앙을 유지하며 마을을 이루어 살았습니다. 당연히 예

135

배를 위한 공간이 필요하여 교회를 세웠습니다. 노쿠비교회입니다.

교회와 마을은 일본의 독자적인 기독교 문화로 인정받아 유네스코 세계문화유산으로 등재되었습니다. 페리터미널에 있는 안내소는 다행히 열려 있어 다음날 노자키시마행 여객선의 운항 여부를 확인해 보았습니다. 태풍으로 오늘편은 취소되었는데 일기예보에 따르면 내일도 비와 바람이 심해 운항을 장담할 수 없다고 합니다. 큰 기대를 품고 천신만고 끝에 겨우 오지카시마까지 왔는데 노쿠비교회를 목전에 두고 갈 수가 없다니… 나루시마의 에가미천주당도 악천후로 눈앞에서 포기했는데 오지카시마까지 힘들게 와서 노쿠비교회를 포기하게 되니 맥이 풀렸습니다. 하지만 천재지변으로 인한 것이니 누굴 탓할 수도 없는 노릇입니다. 다음날도 큰 기대는 하지 않기로 하고 오히려 오지카시마를 빨리 떠나 다음 목적지 사세보佐世保로 이동할 수 있기를 바랬습니다. 노자키시마행 여객선의 운항 여부는 다음날 아침 마을 스피커로 공지한다고 합니다.

태풍이 잦아들어 출항할 수 있기만을 바라는 마음으로 숙소를 찾아 나섰습니다. 오전에 신카미고토 관광안내소의 스즈키씨를 통해 예약한 민숙으로 향했습니다. 섬은 적막하지만 오가는 사람도 간혹 보입니다. 도시의 도심이 기차역을 중심으로 번화하듯 섬은 페리터미널을 중심으로 주요 시설들이 위치합니다. 관공서나 상점, 식당 등의 편의시설은 페리터미널 근처에 위치하지만 인구도 얼마되지 않은 작은 섬의 불과 몇 개뿐인 상점인지라 상점가라 부르기도 민망합니다. 민숙 역시 페리터미널 인근에 집중되어 있습니다. 예약할 때 민숙 이름과 전화 번호, 사진만 있어 민숙의 상태를 제대로 판단할 수 없었습니다. 대동소이하고 거의 같은 수준이니 어느 집으로 예약하든 차이는 없을거라는 스즈키씨의 얘기에 크게 고민하지 않고 대충 정해 예약했었습니다. 작은 골목에 자리잡은 민숙을 어렵지 않게 찾아 체크인을 하고 마을을 둘러보았습니다. 인적이 드물고 비바람까지 많이 불어 섬마을 전체가 을씨년스럽기까지 보였습니다.

다음날 아침 일찍부터 마을 스피커는 부지런히 선박 운항 상태를 알려 주었습니다. 귀를 기울여 들어보니 '태풍으로 인한 결항'이라는 소리가 계속 들려왔습니다. 혹시나 하는 노자키시마행 여객선에 대한 기대감은 와르르 무너졌습니다. 노자키시마 답사는 포기해야 할 판입니다. 마음을 비우고 민숙 근처에 있는 페리터미널을 산책을 겸해 들러 보았습니다. 오전 입출항 여객선은 전부 결항 확정이고 오후는 물론 다음날 노자키시마행도 불투명하다고 합니다. 꼼짝없이 오지카시마에 발이 묶여 버렸습니다. 이제는 노자키시마를 과감히 포기하고 사세보로 이동하기로 했습니다. 사세보에서 오지카시마로 오는 여객선이 출발해야 그 배를 타고 사세보로 이동할 수 있기 때문에 사세보에서의 여객선 출항 여부에 신경이 곤두섰습니다. 사세보항 시간표에는 오지카시마행 여객선 출발 시간이 오후 1시로 되어있어 점심때나 되어야 사세보에서 출발했는지 알 수 있다고 합니다.

민숙으로 돌아와 사세보로 갈 수 있기를 간절히 바라는 마음으로 먼저 짐을 챙기고 마을 스피커를 통한 반가운 소식을 기대했습니다. 기다리는 시간이 지루해질 때쯤 스피커에서 안내 방송이 나옵니다. 사세보에서 여객선이 출발한다는 반가운 소식입니다. 아, 오늘은 사세보로 갈 수 있겠구나 싶었습니다. 사세보에서 오지카시마까지는 3시간30분이 소요되니 오후 늦더라도 출발할 수 있을 것으로 기대했습니다. 짐을 다시 챙기고 터미널로 가 여객선을 기다렸습니다. 아직 바람이 세차고 비도 많이 내리고 있지만 출항했다니 정말 다행이었습니다. 출항을 하지 않았더라면 꼼짝없이 귀중한 여행 시간 하루 이상을 그냥 보낼 뻔했습니다.

페리터미널에 여유있게 도착하여 기다렸습니다. 웬 젊은 백인 여성이 관광안내소에 앉아 근무하고 있습니다. 이곳 관광안내소 이름은 '아일랜드 투어리즘'입니다. 외국인 여성 직원은 아마 JET 인력이 아닐까 하는 생각이 들었습니다. JET는 일본 정부가 운영하는 해외 인력 고용 프로그램으로, 일본의 소도시나 오지 등 작은 행정구역에 외국인 인력을 파견하여 지자체 업무를 수행하는 한시적 공무원 채용 제도입니다. 일본 근무나 체재를 희망하는 외국인과, 외국 인력을 필요로 하는 지자체 모두 원원하는 프로그램으로 1년에 1회 선발하며, 파견을 희망하는 외국 젊은이들이 많아 경쟁률이 치열하다는 얘기는 들은 바 있습니다. 영어를 모국어로 하는 나라의 인력을 선호하지만 한일 관계의 특수성을 감안하여 우리나라 인력도 많이 채용한다고 합니다. 아마 이 낙도에서 근무하는 외국 여성도 필경 그런 인력이리라 하는 이런저런 상상을 하고 있자니 기다리던 대형 여객선이 눈에 들어옵니다. 필자를 태우고 사세보로 갈 여객선입니다. 몸을 싣고 여객선이 출발하자 그제서야 안도의 한숨이 나왔습니다.

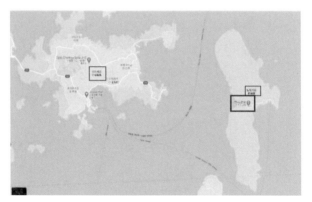

왼쪽이 오지카시마小値賀島, 오른쪽이 노자키시마野崎島.
고토열도의 북쪽에 위치합니다.
노자카시마의 아래 빨간 네모칸은 노쿠비교회野首教會입니다.

138

안내소는 흔히 보이는 '관광안내소'라 씌여있지 않고 'NPO법인 오지카 아이란도 츠리즈므 (Island tourism)' 라 씌여있습니다. 오지카시마 여행객에게 정보를 제공하고 필요한 예약도 진행해 주는 관광안내소입니다. 젊은이 서너명이 근주중이었는데, 젊은이가 이 작은 섬에 살기엔 무척이나 답답하게 느껴질 것 같았습니다.

페리터미널에서 가까운 곳이 섬의 중심지입니다.

과거 상점가였지만 지금은 상점가라는 표현이 무색할 정도로 상당수가 문이 닫혀 있습니다. 인적도 없지만 거리는 놀랄만큼 깨끗합니다.

인구 유출이 계속되고 있어 오지카시마도 언젠가 노자키시마와 같이 무인도가 되지 않을까 하는 걱정이 들었습니다.

페리터미널 근처에 있는 마을의 골목 풍경.
어업과 밭농사가 주업인 작은 낙도지만 쇠락은 막을 길이 없어
보입니다.

오지카시마에서 출발해 사세보로 향하는 여객선 선실입니다.

노자키시마野崎島

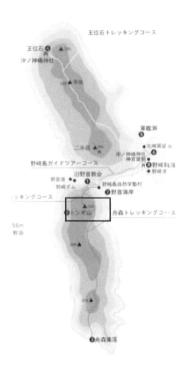

노자키시마 상륙이 불발되어 위 지도를 포함한 이하의 사진들은 고토시 제공 자료의 사진을 싣습니다. 노자키시마는 허리가 가는 개미형의 지형인데 유네스코 세계문화유산으로 등재된 노쿠비교 회는 개미 허리 부분에 있습니다. (빨간 네모) 이 지역은 노쿠비교 회를 비롯, 마을과 학교, 신사와 항구가 위치한 섬의 중심부였습니다. 지금도 이 지역에는 시설물이 남아 있어 캠핑장과 자연 학습 장으로도 활용되고 있습니다.

일본 교회 건축의 일인자 테츠카와 요스케의 설계로 1908년 지어졌습니다. 노쿠비교회는 그가 지은 최초의 벽돌 건물로, 후세에 전할 미래 유산의 보존 가치로서 인정받고 있습니다. 1985년 대대적인 수리를 거쳐 오늘에 이르고 있습니다.

두명의 관리인이 섬에 상주하며 교회와 시설을 관리하고 있는데 가정은 오지카에 있다고 합니다. 왕복 한시간 거리입니다.

구글 맵과 고토시 제공 자료

노쿠비교회가 위치한 곳은 성의 중앙으로, 인근의 노자키 마을터가
지금도 남아 있습니다. 빗물을 보관하는 담수 댐, 노쿠비항과 노자
키항, 노자키 자연 학습장, 노쿠비 해안 모두 섬의 중앙부에 몰려
있습니다.

가장 컸던 키리시탄 마을 후나모리 마을은 섬의 남부에 위치했었습
니다. 교회의 내부는 여느 성당과 별반 다르지 않습니다.

고토시 제공 자료

144

노자키시마는 지금은 무인도지만 남북으로 6.5Km, 동서로 2Km의 면적으로 예전에는 사람들이 많이 살던 섬입니다. 섬의 동쪽에 노자키항, 서쪽에 노쿠비항이 있고 두 항은 섬을 횡단하는 도로로 연결되어 있습니다. 잠복 키리시탄 마을이던 노자키野崎, 노쿠비野首, 후나모리舟森 세개의 마을이 있었고 한때 주민이 650명까지 이르렀습니다. 담수를 저장하는 댐까지 있었습니다. 마을 자체는 소실되었으나 마을터는 노쿠비교회와 함께 2018년 6월 유네스코 세계문화유산으로 지정되었습니다. 주민이 거주하던 시대에는 일본 재래종 흑소黑牛의 방목지이기도 했고 어업도 활발했습니다.

북부의 오키노코지마신사神ノ神島神社 주변의 원생림 등 천혜의 자연이 보존되고 있고 섬 전체가 사이카이西海 국립공원으로 지정되어 있습니다. 이곳의 흑비둘기는 천연기념물로 보호받고 있으며, 섬은 동식물의 보고라 일컬어지고 있습니다. 아직도 사람이 살던 흔적이 섬 곳곳에 남아있습니다.

오지카시마의 아일랜드 투어리즘에 문의하면 가이드가 동반되는 트래킹을 할 수 있습니다.

구글 맵 자료

마을의 흔적이 곳곳에 여전히 남아 있습니다. 선착장은 아직도 사용중입니다. 인구 유출로 이제는 무인도가 되어 400마리가 넘는다는 야생 사슴이 섬의 주인이 되었습니다. 사람이 떠나간 후 섬의 주인이 된 셈입니다. 오지카 사슴의 사진은 아쉽게 구하지 못했습니다.

고토시 제공 자료.

가이드 동반 섬 투어를 하면 큰 도움이 될 것입니다. 해설은 역사 문화 답사에 더욱 풍부한 정보를 제공해 줍니다. 노쿠비 교회는 물론 고토열도의 기독교 신앙에 대해 궁금했던 사항을 알 수 있는 기회가 되기도 합니다. 한 무리의 단체 답사객이 가이드의 설명을 들으며 마을을 걷고 있습니다.

일부 가옥은 수리를 하여 지금도 사용 가능한 수준이지만 대부분은 파손된 상태 그대로 남아 있습니다.

고토시 제공 자료

쿠로시마섬 (黑島)

사세보佐世保를 전진 기지로

예정대로 3시간반의 항해 끝에 저녁 무렵 사세보佐世保에 도착했습니다. 여객선은 언제 심한 비바람이 있었냐는 듯 크게 요동치지 않았습니다. 아마 고토열도의 파도와 바람이 더 많이 심했던 모양이었고, 여객선도 대형이라 안정감도 느껴진 것 같았습니다. 사세보에서 1박을 하고 이번 답사 여행의 마지막 목적지 쿠로시마黑島를 방문하는 일정입니다. 다음날 아침 일찍 아이노우라相の浦를 경유, 쿠로시마로 이동하여 답사하고 오후에 다시 사세보로 돌아와 후쿠오카福岡로 가기로 했습니다. 노자키시마 답사가 무산된 것이 내내 아쉬웠지만, 더 오랜 시간 오지카시마에 발이 묶여 있지 않았다는데 위안을 찾았습니다.

사세보는 남으로 나가사키長崎, 북으로 후쿠오카로 연결되는 교통의 요지로, 고 열도의 여러 섬들과 여객선으로 연결됩니다. 다만 쿠로시마는 사세보항에서 직접 가는 여객선이 없어 사세보역에서 전철로 30분 거리인 아이노우라로 이동하여 그곳에서 여객선을 타야 합니다. 쿠로시마로 가기 위해서는 어디서 출발하던 일단 아이노우라까지 가야해서 불편함이 없지 않습니다.

이번 답사 여행의 출입국 공항이 후쿠오카니 후쿠오카로 돌아오기 위해서는 쿠로시마에서 다시 아이노우라, 사세보를 경유해야 합니다. 사세보는 지난 나가사키현長崎県과 쿠마모토현熊本県 일대의 성지 답사 여행 때 자세히 살펴보았기 때문에 이번에는 많은 시간을 할애하지 않았습니다. 다만 사세보에서 1박을 한 관계로 사세보 기독교의 상징 미우라초교회三浦町教会의 야경 사진을 찍을 수 있었습니다.

149

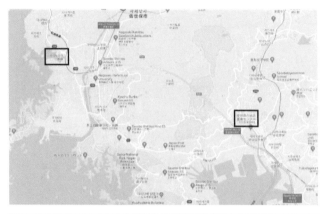

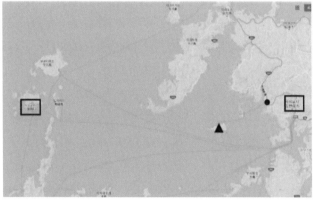

오지카시마(왼쪽 네모칸)에서 사세보(오른쪽 네모칸)로 여객선으로 이동했습니다. 쿠로시마로 가기 위해서는 사세보역에서 전철을 타고 아이노우라(원형 점)까지 이동하여 그곳 항에서 여객선을 타고 가야 합니다. 세모점이 쿠로시마. 아이노우라에서 배를 타면 먼저 다카시마高島에 정박한 후 종착지 쿠로시마로 향합니다.

아래 지도 왼쪽 아이노우라, 오른쪽 사세보역. 두 곳은 전철로 30분에 연결됩니다. JR이 아닌 사철私鐵 마츠우라松浦선입니다.

사세보의 랜드마크 미우라초교회.
유서 깊은 아름다운 고딕 양식의 교회입니다. 어떤 이유인지
는 몰라도 설계자와 시공자가 알려지지 않았다고 합니다.

오지카시마와 사세보를 연결하는 여객선.

태풍으로 오지카항 착발 모든 여객선이 결항되었는데 다행이 정오를 기점으로 일기가 나아져 이 여객선이 사세보에서 오지카시마로 출항했습니다. 오지카시마에서 이 배를 타고 사세보로 왔습니다. 선내 객실은 통마루 형태인데 카펫이 깔려 있고 담요와 베개가 깔끔히 정돈된 상태로 구비되어 있습니다.

선내 인포메이션 데스크와 휴게석.
컵라면 자동판매기와 온수기가 있어 간단한 식사도 가능합니다.

사세보 최대의 번화가라할 수 있는 사루쿠시티 403 아케이드.
욘카초四ヶ町 상점가라고도 불립니다. 사세보 시내 중심에 있으
며 각종 상점과 식당 등 160개 이상의 가게가 있다고 합니다.
사세보역에서 충분히 걸어갈 수 있는 가까운 거리에 있습니다.

쿠로시마黑島로

사세보역에서 마츠우라松浦선을 타고 30분 정도 이동하여 아이노우라역에 도착했습니다. 아이노우라는 한적한 어촌으로 사세보시의 북쪽 외곽에 해당합니다. 역에서 조금 걸어 페리터미널로 향합니다. 쿠로시마행 여객선은 중간 기착지 다카시마高島를 포함하여 편도로 50분 정도 소요됩니다. 쿠로시마섬은 사세보에서 서쪽으로 12Km 떨어져 있고 인구는 450명 정도입니다. 그리 크지 않은 섬이지만 사세보에서 접근이 용이하고 유네스코 세계문화유산 쿠로시마교회와 잠복 키리시탄의 마을 쿠로시마마을이 있어 기독교 순례객들이 끊이지 않는 섬입니다.

선내에서 창밖의 바다 풍광을 보고 있자니 어느덧 다카시마를 거쳐 쿠로시마항에 도착합니다. 늦여름의 나른한 햇살이 비칩니다. 내내 궂은 비를 만나 고생한 고토열도의 날씨와 상반되어 다행입니다. 여느 섬과 마찬가지로 페리터미널은 섬의 중심지에 해당합니다. 상점과 관공서가 항구를 중심으로 위치해 있습니다. 관광안내소에서 팜플렛을 챙기고 전동 자전거를 렌탈했습니다. 입도객은 주로 전동 자전거를 이용합니다. 섬이 크지 않아 체력이 조금만 받혀 준다면 전동 자전거로 섬 일주도 그리 어려운 일이 아닙니다. 정기적으로 운행하는 노선 버스도 없고 렌터카도 없기 때문이기도 합니다. 아이노우라에서 개인 차량을 가지고 오지 않는 한 섬내에서 차량 이동은 불가하다고 봐야 합니다. 전동 자전거도 많이 구비되어 극성수기에는 예약이 필요하다고 하지만 그외 기간에는 별도 예약이 필요 없어 보입니다.

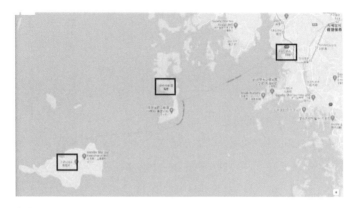

사세보佐世保에서 쿠로시마黑島까지. 오른쪽부터 출발지 아이노우라相ノ浦, 중간 기착지 다카시마高島, 종착지 쿠로시마.

사세보에서 아이노우라는 철도로 30분, 아이노우라에서 쿠로시마는 여객선으로 50분 정도 소요됩니다. 아이노우라에서 출발하면 중간에 다카시마를 들립니다. 아이노우라와 쿠로시마는 하루 세번 여객선이 왕복합니다.

사세보에서 아이노우라는 JR이 아닌 마츠우라松浦선으로 연결되는데 시종착역은 사세보역과 이마리伊万里역입니다. 초여름 나가사키현長崎県, 쿠마모토현熊本県의 기독교 성지 답사 여행시 후쿠오카福岡에서 사가佐賀, 아리타有田를 거쳐 이마리역에서 사세보향 전철에 승차하여 타비라히라도구치たびら平戸口역에서 하차하고 버스를 이용하여 히라도平戸로 들어간 적이 있습니다.

쿠로시마섬은 그다지 크지 않아 작아 체력만 받쳐 준다면 페리 터미널에서 천주당까지 도보로도 이동 가능하지만 섬에 산재해 있는 기독교 성지를 모두 걸어 가보는 데는 무리가 있습니다.

농업과 어업이 주업이지만 관광객도 많은 듯 민숙형 료칸과 게스트 하우스가 있습니다. 전동 자전거는 1,200엔으로 6시간 이용할 수 있습니다.

156

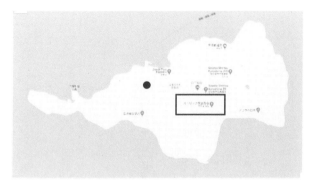

쿠로시마 전도.

원형 점이 쿠로시마항이고 중간 네모 칸이 쿠로시마교회입니다.

교회는 섬 각지에서 접근이 용이하도록 섬 중앙에 세워졌습니다.

여객선 노선. 오른쪽 현재지 아이노우라를 가리킵니다.

가운데가 다카시마, 왼쪽이 쿠로시마.

아이노우라와 쿠로시마의
왕복 승선권.
갈 때와 올 때의 운임이
다릅니다.

아이노우라와 쿠로시마를 오가는 여객선. 트럭도 실려 있고, 대형 여객선은 아니지만 화물도 많이 실려 있습니다. 오른쪽부터 아이노우라, 다카시마, 쿠로시마라 씌여 있습니다.

아래 사진은 선상에서 바라본 아이노우라. 중앙 언덕에 위치한 커다란 교회당이 인상적입니다.

158

인구가 450명에 불과한 작은 섬이지만 방문객이 많은 듯 숙소 세 곳, 식당과 카페가 한 개씩 있습니다. 카페에선 간단한 식사도 가능합니다.

우연히 발견한 섬의 유일한 카페 미사키御岬입니다. 여름날 오아시스 같은 곳으로 더위도 피하며 식사도 했습니다. 주인 혼자 운영하는 곳 같은데 깔끔하고 예쁘게 운영되고 있습니다. 식사 전문이 아니어서 음식 맛은 크게 기대하기 어렵습니다. 메뉴도 단순합니다.

쿠로시마교회黑島敎會와 잠복 키리시탄 마을

쿠로시마黑島를 찾은 가장 큰 이유는 유네스코 세계문화유산으로 등재된 쿠로시마교회黑島敎會와 잠복 키리시탄 마을을 답사하기 위해서입니다. 또한 도민島民의 무려 80% 이상이 기독교 신자라는 믿기 어려운 기독교 보급율을 기록하고 있는 섬이기에 꼭 한번 방문해 보고 싶었습니다.

가장 먼저 쿠로시마교회를 찾았습니다. 교회는 페리터미널에서 언덕을 넘어야 합니다. 렌탈한 전동 자전거는 오르막 길을 올라갈 때 아주 유용합니다. 여름날 페달을 밟아 땀을 흘리며 만난 쿠로시마교회는 마침 전면 보수중이었습니다. 교회 부속 자료관에서 만난 해설사에 따르면 나가사키현 일대의 오래된 교회들은 대부분 지은지 100년을 넘어가고 있다고 합니다. 때문에 훼손이 심한 교회부터 순차적으로 보수중에 있다고 하며 한번 보수 공사에 보통 2,3년이 소요된다고 합니다. 지난 초여름 히라도平戶 기독교 성지 답사 시 방문한 자비에르기념교회平戶ザビエル記念敎會도 보수 공사중이어서 외관을 제대로 보지 못했던 것이 떠올랐습니다.

쿠로시마교회는 보수 공사용 차양막으로 가리워져 있어 내부는 물론 외양도 볼 수 없었습니다. 교회는 프랑스 외방 선교회에서 파견된 조셉 마루만 Joseph Marmand신부의 설계로 건축되었는데 마루만신부는 고토열도 후쿠에시마福江島의 도자키천주당堂崎天主堂도 건축했습니다. 쿠로시마교회 건축에는 후일 일본 성당 건축의 일인자가 된 신가미고토 출신의 테츠카와 요스케鉄川与助도 참여했습니다. 테츠카와는 교회 건축 참여를 통해 선교사들로부터 서양 건축을 배우기 시작했습니다. 쿠로시마교회는 그가 설계에 참여한 최

초의 서양식 건축물로, 이 교회는 향후 그가 설계한 교회 건축물의 기준이 됩니다. 일본 초기 교회 건축물이 정체성을 가지게 된 데에는 그의 공이 크다고 볼 수 있습니다. 후일 테츠카와 요스케는 쿠로시마교회를 모델로 타비라히라도구치たびら平戸口에 타비라천주당을 건축하게 되는데, 그래서인지 두 교회당은 어딘가 닮아 보입니다. 쿠로시마교회는 일본 지정 중요문화재로도 지정되어 있습니다.

1897년 로마네스크 양식으로 건축하기 시작하여 1902년 완공되었습니다. 타일은 일본 도자기의 명산지 아리타有田에서 만든 타일을 이용했다고 합니다. 아리타는 이마리伊万里와 더불어 일본 도자기의 대표적인 산지입니다. 지난 답사 여행에서 아리타, 이마리 두 곳 모두 방문했었습니다. 쿠로시마교회의 예배당은 오랜 시간 다다미 바닥을 이용하다가 1991년이 되어서야 좌석식 나무 의자로 바꿨습니다. 메이지시대에 지은 서양식 건물이지만 그 완성도가 높아 이후 건축되는 교회 설계의 모델이 되었다고 합니다.

외관조차 제대로 볼 수 없었지만 교회 주위를 한 바퀴 돌아보았습니다. 마침 교회 뒤편에 있는 부속 자료관은 개방되어 있습니다. 들어가 보니 청년 한 명이 해설을 겸해 자료관을 관리하고 있습니다. 성지 답사 중이라 밝히고 설명을 들어 보았습니다. 성당 건축 관련 자료, 서양 선교사들의 사진과 활약상에 대한 자료가 많았습니다.

전술한대로 기독교가 금지되고 탄압이 이루어지던 에도시대에 가혹한 박해를 피해 낙도로 피신하여 그들만의 마을을 이루고 신앙을 세습하며 유지하다가 예배당을 세우는 경우가 많았습니다. 쿠로시마 역시 그런 섬들 중 하나로 주로 나가사키현 내지에서 키리시탄이 들어와 거주했던 섬입니다. 금교 시대에 키리시탄으로 발각되면 잔인한 고문 끝에 순교하는 일이 많았으며, 정말 운이 좋다면 먼 곳으로 유배되는 처분을 받기도 했습니다.

정부의 강력한 탄압에 숨죽이며 신앙을 세습하던 잠복 키리시탄은 금교령이 해제되고 종교의 자유가 주어지자 양지로 올라와 공개적으로 신앙 생활을 할 수 있게 되었습니다. 최초의 쿠로시마교회는 금교령 해제로부터 6년후인 1879년 페르신부의 주도로 건축되었습니다. 건물의 노후와 신자의 증가로 새로운 예배당을 필요로 하여 기존 건물을 허물고 바로 같은 자리에 1902년 마루만신부의 주도로 새 교회당을 지어 완공했습니다. 지금의 교회는 기독교가 해금되고 30년이 지나서야 완공되었지만 기독교 신앙에 열정적인 키리시탄 마을 주민들의 합심과 노력으로 건축되어 그 의미를 더합니다. 쿠로시마교회에서 5분 거리에 키리시탄 공동묘지가 조성되어 있습니다. 성지 답사중 발견한 것 중의 하나가 오래된 교회 옆에는 키리시탄 공동묘지가 있다는 것인데 쿠로시마교회 부근 역시 키리시탄 공동묘지가 조성되어 있습니다. 일본 전통식 석재 묘지였으나 키리시탄 묘지인만큼 석물에 십자가가 세워져 있습니다. 쿠로시마 선교에 전념했던 마루만신부도 이곳에 잠들어 있습니다.

하늘에서 바라본 쿠로시마. 사세보시 제공 자료.

쿠로시마교회 전경. 현재 수리중으로 사진은 사세보시 제공
자료입니다.

쿠로시마는 주로 오무라번 大村藩 소토메 外海 지역 (현재의 나가
사키현 내지)에서 이주해 온 잠복 키리시탄이 마을을 이루어
거주했던 피신지 섬입니다.

위는 건축 당시의 쿠로시마교회. 일본 국보로 지정된 왼쪽의 나가사키시에 있는 오우라천주당과 많이 닮아 있습니다. 현재의 쿠로시마교회는 첨탑 부분이 바뀌었고 나머지 부분은 동일합니다. 쿠로시마에 처음 세워진 교회는 1879년 쿠로시마에 들어온 1대 선교사 페르신부에 의해 섬 어디에서든 접근이 용이한 섬의 한가운데 세워졌습니다. 최초의 교회는 사라졌지만 사용되었던 예배 행사 관련 도구는 보존되어 남아있습니다. 아마 지금 수리중인 교회에서 철거되는 시설물이나 도구 역시 보존될 것입니다. 지금의 쿠로시마교회는 2대 교회가 되고, 최초의 1대 교회가 있었던 바로 그 자리에 세워졌습니다.

한편 오우라천주당은 프랑스 선교사들에 의해 1864년 일본 최초로 지어진 교회로, 건축 시기는 쿠로시마교회보다 많이 앞섭니다. 오우라천주당 역시 유네스코 세계문화유산으로 등재되어 있습니다.

164

답사시에는 위와 같이 보수중이어서 외관을 볼 수 없었습니다. 지은
지 100년을 넘어서며 노후에 따른 훼손으로 보수 필요성이 대두되어
왔습니다. 2013년부터 2년간에 걸친 정밀 진단 결과 구조적 약화에
따른 위험성, 특히 지진에 의한 붕괴 우려로 대대적인 보수가 결정되
었습니다. 2019년 3월부터 보수가 시작되어 만 2년 이상 작업이 이루
어졌습니다. 원래의 모습을 최대한 유지하는 것을 목표로 수리중이며,
수리 과정에서 나온 원래의 건축 자재는 폐기하지 않고 별도 보관한
다고 합니다.

교회 내부 예배당과 지금의 교회를 설
계한 마루만신부. 신부가 손으로 만든
설교단은 아직도 보존되어 있습니다.
사세보시 제공 자료

보수 공사중에도 교회 뒤편의 자료관은 개방되어 있습니다. 청년
한 명이 자료관을 관리하며 간략한 해설도 해줍니다. 자료관 내부
는 쿠로시마교회의 역사부터 역대 선교사들, 신부들의 사진, 관련
자료에 이르기까지 많은 자료가 전시되어 있습니다. 다만 자료관
내부의 사진 촬영은 금지되어 있어 아래의 사진도 관리자의 허락
하에 '기념'으로 찍어도 좋겠냐는 허락을 받고 찍은 사진입니다.
해설은 질문이 있으면 대답해 주는 수준입니다. 이 해설사로부터
나가사키 일원의 기독교 성지에 대한 공개용 동영상이 있다는 정
보를 얻었습니다.

위 사진은 사세보시 제공 자료입니다.

교회에서 도보 5분 거리에 키리시탄 공동묘지가 있습니다. 잠복 키리시탄은 물론 쿠로시마의 기독교인이 잠들어 있는 곳으로, 쿠로시마 선교의 아버지 마루만신부도 이곳에 잠들어 있습니다. 마루만신부는 시모고토下五島를 시작으로 일본 선교에 매진하다 1912년 쿠로시마에서 영면합니다. 앞서 기술한 후쿠에시마에 있는 도자키천주당도 마루만신부에 의해 건축되었습니다. 키리시탄 묘역답게 모든 석물石物은 십자가입니다. 아래 사진은 원래의 잠복 키리시탄 묘역으로, 공동묘지와 별도로 있습니다. 대부분 공동묘역으로 옮겨왔고 일부는 아직도 잠복 키리시탄 마을터 옆에 남아있습니다. 접근은 금지되어 있습니다. 아래 사진은 사세보시 제공.

168

섬의 동쪽에 '신앙 부활의 땅信仰復活之地'이라 부르는 곳이 있고 이곳에 대형 석비石碑가 세워져 있습니다. 오른쪽의 흰 조각상은 성모 마리아상입니다.

박해의 공포가 여전하던 1865년 나가사키市 오우라천주당大浦天主堂에서 '신도발견信徒發見'이라 불리는 일대 사건이 일어납니다. 박해를 피해 숨어 지내던 잠복 키리시탄들이 오우라천주당을 찾아와 키리시탄임을 밝히고 신앙 고백을 한 사건입니다. 사건의 주인공은 나가사키우라카미浦上 지역의 잠복 키리시탄들과 오우라천주당을 지키던 선교사 프티장신부였습니다. 신도발견 사건의 소식을 들은 쿠로시마의 잠복 키리시탄들도 지도자 데구치 요시다유出口吉太夫와 데구치 오오키치出口大吉 부자父子를 중심으로 프티장신부에게 찾아가 신앙 고백을 했는데 그 수가 20명에 달했습니다. 데구치 부자는 체계적인 교리를 배우고 세례를 받은 후 1872년 자신의 집에서 오우라천주당 소속 포와리에신부가 집전하는 쿠로시마 최초의 정식 예배를 드렸습니다. 1875년엔 쿠로시마섬 중심에 가假교회를 지어 현재 쿠로시마교회의 기원이 됩니다. 쿠로시마에서 최초의 예배가 올려진 곳을 기념하기 위해 데구치 가문의 집터에 이 비를 세웠습니다.

잠복 키리시탄 마을터입니다. 원래 섬의 남부인 와라베わらべ, 타시로
田代, 네야根谷 등 혼무라本村 지구는 말을 방목하여 키우는 히라도번平
戸藩의 목장이었습니다. 1802년 목장이 폐쇄되고 섬의 새로운 개척이
시작되자 내지에서 새로 이주민이 유입되고 이들은 대부분 불교 신
자였던 기존 주민과 함께 살게 되었습니다. 유입 이주민 중에는 나
가사키 소토메外海 지역의 키리시탄도 섞여 있었고 그들은 이곳에
정착하여 방풍림과 밭을 조성하고 잠복 키리시탄 마을을 이루며 살
았습니다. 마을터는 남아있는데 아직도 주민이 살고 있는 집이 있습
니다. 쿠로시마교회와 함께 유네스코 세계문화유산으로 등재되어 있
습니다.

위는 와라베 마을, 아래는 타시로 마을. 모두 잠복 키리시탄의 마을
이었습니다. 사세보시 제공 자료.

3부

고토열도 일주를 마치며

쿠로시마 성지 답사를 마치고 아이노우라, 시세보를 경유하여 후쿠오카로 복귀했습니다. 일본 기독교 성지 답사의 마지막 답사라 생각하고 떠난 고토 열도. 그곳엔 죽음을 불사한 키리시탄의 믿음이 있었습니다. 그들이 숨어 지내며 조성한 마을이 있었고 피땀 흘려 지은 예배당이 있었습니다. 곳곳에 키리시탄이 지켜 온 믿음의 숨결이 살아 숨쉬고 있었습니다. 이번 답사 여행은 태풍으로 매일매일이 고난의 여정이었으나 그 고난 이상의 커다란 울림이 있었습니다.

다만 아쉬움도 없지 않습니다. 제한된 기간내 '고토열도의 기독교 성지 답사'라는 확실한 단일 목적을 가지고 떠난 여행이다 보니 답사지는 대부분 기독교 관련 장소여서 여느 여행객이 방문하는 지역의 명소를 지나쳤다는 점, 현지에서만 경험해 볼 수 있는 체험 같은 것도 지나친 점이 아쉬움으로 남습니다. 짧지 않은 여행 기간이었으나 항상 시간에 쫓겨 느긋하고도 여유 있는 여행이 되지 못한 점도 아쉽습니다. 하지만 무엇보다도 가장 큰 아쉬움은 태풍으로 인해 에가미천주당과 노쿠비천주당을 방문하지 못한 것입니다. 고토열도와 쿠로시마가 일본의 해상 국립공원 사이카이西海 국립공원이어서 아름다운 바다와 섬들을 실컷 본 것으로 그나마 위안으로 삼습니다. 우리는 섬이 많은 남해 지역을 다도해多島海라 부르는데, 답사지인 고토열도 일원을 일본에서는 쿠쥬쿠시마九十九島라고 부릅니다. 그만큼 섬이 많은 지역이란 뜻일 것입니다.

고토열도에서도 다시 확인했듯 전국시대 말기부터 행해진 기독교 탄압은 가혹했습니다. 수많은 순교자가 발생했고 심지어 기독교 종교전쟁까지 치렀습니다. 이렇게 힘들게 지켜 온 일본의 기독교가 오늘날 왜 이리 쇠퇴했을까요? 이에 대해서 전작 '기독교왕국을 꿈꾼 사무라이'의 결론 글을 옮겨 싣습니다.

172

여행중 많은 사람을 만났습니다. 필요 이상이라고 느낄 정도로 정성을 다해 도와준 사람도 있었고, 겉으로는 무뚝뚝하지만 따뜻하게 도와준 사람도 있었습니다. 어차피 타지의 나그네가 충실한 답사 여행을 하려다 보니 염치 불구하고 현지 사람의 도움을 요청하는 경우도 많았습니다. 낙도 바닷가 사람들의 삶이 팍팍할 것이란 선입견도 깨졌습니다. 인구 감소에 젊은 층이 감소되는 가운데서도 그들은 그들의 앞 세대가 그랬던 것처럼 묵묵히 자연에 순응하며 바다에 감사하며 살고 있었습니다.

고토열도 성지 답사를 끝으로 다섯 차례에 걸친 일본 기독교 성지 답사를 마무리합니다. 새로운 사실을 알게 되었을 때 우리는 대게 희열을 느끼게 됩니다. 일본의 기독교 성지 답사를 통해 몰랐던 사실을 많이 알게 되었지만 희열보다는 애잔함과 경건함, 또한 슬픔과 착잡함이 더 많이 느껴졌습니다. 말로 표현하기 어려운 잔혹한 고문을 받고, 잔인한 방법으로 순교를 한 그들의 자취를 접하니 숙연해질 수밖에 없었습니다. 그들이 필사적으로 지켜온 것은 기독교 신앙 그 자체였습니다.

에도시대 300년 금교의 시대를 마감하게 된 배경

1853년 미국의 페리Matthew Calbraith Perry,1794~1858제독에 의해 개국한 일본은 1858년 미국과의 조약을 시작으로 연이어 유럽 국가들과 조약을 체결하게 됩니다. 조선이 일본에 의해 맺은 강화도조약이 조선에 일방적으로 불리한 불평등 조약이었듯 일본이 유럽 국가들과 맺은 조약들 역시 모두 일본에 불리한 불평등 조약이었습니다. 일본의 국력이 유럽에 미치지 못하고 국제 정세에 그리 밝지 못했기 때문입니다.

하지만 메이지유신의 성공으로 국력이 급성장한 일본은 유럽 제국諸國과 기존에 맺었던 불평등한 조약들을 개정하기 시작했습니다. 일본의 성장을 인정한 유럽 제국 역시 기존의 조약을 개정하는데 동의했으나 몇 가지 요구 조건을 제시했습니다. 그 중 하나가 바로 '기독교 금교령의 철폐', 즉 '종교의 자유 보장'입니다. 금교령 철폐에 앞서 미국의 요구로 에부미絵踏み제도가 없어졌다고는 하지만 아직도 지방에서 암암리에 행해지고 있었던 것도 사실이었습니다. 유럽 제국은 일본에게 스스로 문명국이 되려면, 그리고 자신들과 동등한 위치에 서고 싶다면 먼저 종교의 자유를 보장하라고 메이지 정부를 압박하며 조약 개정의 전제 조건의 하나로 내세웠습니다. 금교 유지보다 조약 개정이 절실했던 일본은 1873년 공식적으로 금교령을 철폐하게 됩니다.

300년 동안 금교의 시대를 보냈기 때문에 숨어있던 키리시탄은 급작스럽게 나오기 보다는 점진적으로 양지로 나왔습니다. 그들은 교회당부터 지으며 교회에 출석하며 신앙 생활을 다시 시작했고 (잠복 키리시탄), 일부는 여전히 가정에 남아 금교 시대에 가정에서 지켜온 신앙 행태를 그대로 고수했습니다 (은신 키리시탄).

하지만 마음껏 신앙의 자유를 누리던 시간은 그리 길지 않았습니다. 1889년 제국 헌법 공표, 1890년 교육 칙령으로 기독교는 다시 암흑의 시대로 접어들어 오늘에 이르고 있습니다.

일본의 기독교는 왜 성장을 멈추었을까?

신학자와 같은 전문가 입장에서의 견해는 다르겠지만 고토열도 성지 답사 중 히사가시마久賀島 큐쿄린교회旧五輪教會에서 만난 해설사를 통해 들은 설명에 설득력이 있다고 생각됩니다. 설명에 따르면 기독교 쇠퇴의 가장 큰 원인은 '제국헌법帝國憲法'과 '교육칙령敎育勅令'이 제공했습니다.

1889년 일본 최초의 헌법이 공표되었고 (헌법 초안은 이토 히로부미伊藤博文가 만들었고 그는 초대 한국 통감과 초대 일본 총리가 됩니다), 헌법에는 '종교의 자유'가 명시되어 있습니다. 하지만 이 헌법은 '주권 국민주의主權 國民主義'가 아닌 '주권 천황주의主權 天皇主義'를 택한 '제국헌법帝國憲法'이었습니다. 제국주의를 위한 국민 교육 정책이 이듬해인 1890년 발표된 '교육칙령'입니다. 이율배반적으로 헌법으로 종교의 자유를 보장했음에도 불구하고 기독교는 다시 금교아닌 금교의 시대로 접어 들게 됩니다.

1890년은 시대적으로 일본이 급속하게 민족주의로 나가는 시기인데, 제국헌법에서 보듯 일본의 민족주의는 국수주의, 군국주의, 전체주의와 궤를 같이 합니다. 1868년 성공적인 메이지유신을 통하여 일본의 국력은 급신장하여 서구 열강에 대등한 수준에까지 이르렀습니다. 하지만 메이지정부는 이에 만족하지 않고 더욱 국력을 강하게 키워야 하며, 이를 위해 전국민이 하나로 뭉쳐야 하고, 그 구심점으로 현신인現神人, 즉 살아있는 신 천황이 되어야 한다며 강력한 전체주의를 표방했습니다. 부국강병富國强兵에 총력을 기울인 메이지정부 주도의 '강한 일본'에 크게 고무된 일본 국민들은 가중된 세금 부담에도 불구하고 이러한 정부 정책에 스스로 신민임을 자처하며 전폭적인 지지를 보냈습니다.

바로 이러한 시대적 배경으로 1890년 '교육칙령'이 발표되며 일본은 더욱 국수주의 지향으로 전 국민이 하나가 되어갑니다. 1895년 청일전쟁, 1905년 러일전쟁의 잇단 승리로 일본 국민의 사기와 자신감은 하늘을 찌르게 됩니다. 1931년 만주사변, 1937년 중일전쟁으로 이어진 호전적인 군국주의는 결국 1941년 태평양전쟁으로까지 이어집니다.

교육칙령에 따라 모든 신앙은 천황으로 향하게 되어 신토는 더욱 공고해집니다. 불교도 배척 대상이었지만 이미 토착화되어 신토와 결합된 형태로 세력을 유지하게 된 반면, 기독교는 일본적 토양에서 수용할 수 없는 '서양 종교'로 간주되어 국가 차원에서 암묵적인 금교 명령을 받게 된 것입니다.

기독교계 학교의 교과서에 '진화론進化論'이 '창조론創造論'을 밀어낸 것도 이 시기입니다. 메이지 시대 급속한 서양 문물 유입에 기독교계 교육도 포함되어 있었는데 이에 따라 기독교계 학교가 속속 세워졌습니다. 이들 학교에서는 기독교의 '창조론'을 교과서에 싣고 가르쳤는데 정부가 정한 새 교과서는 창조론을 부정하고 진화론만을 정설로 가르쳤습니다. 나아가 정부는 '하나로 뭉친 강한 일본'을 표방하며 '전국 단일교과서제全國單一敎科書制'를 채택하여 북쪽의 북해도北海道로부터 남쪽의 오키나와沖繩까지 일본 국민은 동일한 교과서로 획일적인 교육을 받게 됩니다. 천황만을 위해 존재하는 복종적 국민이 되도록 교육시킨 것입니다. 키리시탄들이 목숨보다 더 중요하게 지킨 성경 말씀은 하나의 서양 신화로 격하되면서 종교적 신앙의 대상에서 멀어지게 되는 상황이 되었습니다.

에도시대에서 행해졌던 잠복 형태의 신앙 유지도 불가능해졌습니다. 발각되면 예전처럼 고문이나 죽임을 당하는 것은 아니지만 '반국가주의자'로 낙인 찍혀 일본 국민으로 살아가기가 무척 힘들게 된 것입니다. 기독교 신자가

된다는 것은 일본인이 가장 두려워하는 것 중의 하나인 사회적 따돌림, 즉 외톨이(나카마하즈레[仲間外れ], 무라하치부[村八分])를 감수해야 하는 큰 대가를 치러야만 했습니다. 결국 일본 특유의 전체주의 속으로 녹아 들어가야 했고, 이러한 체제가 장기간 이어지며 고착화되어 회복 불능 수준으로 빠지게 됩니다.

이와 같은 배경은 일본의 기독교 신자는 증가가 아닌 감소의 길을 걷게 되는 결정적 요인으로 작용합니다. 물론 제국헌법과 교육칙령이라는 이유만으로 일본의 기독교가 쇠퇴했다고 단정 지을 수는 없습니다. 그 외에 여러가지 원인이 복합적으로 작용했을 것입니다. 다만 어떤 이유든 일본만의 독특한 신앙 형태에서 기인한 것만큼은 틀림이 없을 것입니다.

고토열도 성지 답사를 마치고 돌아오는 길,
발걸음이 그리 가볍지만은 않았습니다.
답사 길에서 들은 커다란 믿음의 울림이
마음 속 깊이 계속 메아리 쳐 울렸습니다.
'400년전 목숨을 걸고 믿음을 지켜온 키리시탄들이
오늘날의 일본 기독교를 보면 어떤 마음일까'를
되뇌며 답사 여행을 마무리 지었습니다.

그때 그곳에
기독교 왕국을 꿈꾼 믿음의 사람들이 있었습니다.

고토열도 기행

발 행 | 2021년 05월 04일
저 자 | 정구형
펴낸이 | 한건희
펴낸곳 | 주식회사 부크크
출판사등록 | 2014.07.15.(제2014-16호)
주 소 | 서울특별시 금천구 가산디지털1로 119 SK트윈타워 A동 305호
전 화 | 1670-8316
이메일 | info@bookk.co.kr

ISBN | 979-11-372-4408-5

www.bookk.co.kr